Ultimes paroles

...et avez-vous quand même atteint le but de votre vie?

Oui, je l'ai atteint.

Quel était-il?

Me dire bien-aimé moi-même et me sentir bien-aimé
par la terre entière.

Raymond Carver

Données de catalogage avant publication (Canada)

Roth, Geneen,
    Lorsque manger remplace aimer
    (collection PARCOURS)
    Traduction de : When food is love.
    ISBN 2-7604-0396-3
    1. Alimentation - Comportement compulsif
2. Intimité. I Titre. II Collection : Collection Parcours (Stanké)
RC522.C65R6614 1991   616.85'26   C91-090812-5

Illustration de la page couverture, montage: Olivier Lasser

Ce livre a été publié sous le titre original de *When food is love* par Dutton Book.

ISBN 2-7604-0396-3

Dépôt légal: quatrième trimestre 1991

IMPRIMÉ AU QUÉBEC (CANADA)

Lorsque manger remplace aimer

Geneen Roth

Lorsque manger remplace aimer

*Quand on n'est pas aimé,
quand on ne s'aime pas,
quand on n'aime pas,
alors, pour compenser,
on **mange.***

*Mais quand on sait comment ça se fait,
on n'a plus à dévorer,
on guérit,
on **maigrit.***

Préface de Josette Ghedin Stanké

Traduit de l'américain par Lionel Perrin et Brigitte Donvez

COLLECTION
PARCOURS
Josette Ghedin Stanké

Stanké

Note

L'anglais ne faisant pas de distinction grammaticale entre les sexes, nous avons opté pour la traduction au féminin, par souci de respecter la réalité statistique. Dans les faits, les femmes représentent les trois quarts environ des personnes atteintes de troubles de comportement alimentaire.

Table des matières

Préface

Le monde est déroutant - on ne grossit pas seulement des calories que l'on ingurgite. Ceux et celles qui grossissent de rien le savent. À regarder un gâteau, ils profitent. C'est injuste et bel et bien prouvé!

C'est dans notre cerveau qu'avant tout les choses se passent. Et je m'explique...

Biologiquement, notre appétit est régulé en grande partie par la glycémie, qui est le taux de sucre ou glucose, dans notre organisme. Elle est normalement d'un gramme par litre de sang. Avant et après les repas, ce taux fluctue légèrement et guide notre comportement alimentaire. Lorsque la glycémie est en baisse, le cerveau informe, alerte le pancréas pour qu'il libère son hormone, l'insuline, afin qu'elle stimule notre faim. Lorsqu'elle est en hausse, le pancréas est tranquille et nous sommes rassasiés.

L'insuline a l'objectif nourricier de faire pénétrer le glucose dans toutes nos cellules et, lorsqu'elles sont gavées d'énergie nutritive, de le transformer en graisses pour faire des réserves en cas de disette.

Plus nous produisons d'insuline, plus nous ressentons le besoin de manger. Plus nous avons faim, plus nous mangeons. Plus nous mangeons, plus nous grossissons, c'est logique. Et ce serait justice si le processus était régulé par la sensation de satiété qui ne nous ferait manger que ce dont notre corps a besoin. Mais la vraie faim comme la satiété sont depuis longtemps méprisées dans notre surabondante société de consommation. Et nous ne misons pas toujours sur d'autres bons signaux pour ne pas nous goinfrer sans nécessité; alors nous devenons gros.

Depuis quelques années, je connais bien ces fringales subites puisque, souffrant d'hypoglycémie, je tombe dans de fréquents et pressants besoins de manger. Ce n'est pourtant pas que je sois sous-alimentée. Ce qui m'a longtemps étonnée c'est que, après avoir avalé trois bouchées, je ne ressente plus la faim et sois redevenue tout à fait bien. Comment cela se fait-il que, sans le temps nécessaire à transformer en glucose ces trois prunes que je viens de manger, tous mes malaises de manque se soient évaporés?

Des études ont tiré au clair cette énigme. Avant que le pancréas n'ait déjà répondu à la baisse de glycémie, le cerveau s'est mis à galoper pour produire l'insuline encéphalique, ce qui est en question justement lorsque les gros grossissent alors qu'ils voudraient désespérément maigrir.

Pourquoi un tel décalage entre les besoins réels du corps et cet appétit gigantesque? Parce que le boulimique a substitué ses faims psychologiques à celle physiologique et normale de se nourrir. Plus jamais il n'aura de vraie faim, mais des avidités poussées par tous ses besoins affectifs ignorés qu'il aura transformés en une seule et énorme faim: celle de manger.

Oui, le boulimique adore manger et son cerveau — qui le sait — produit en prévision une énorme provision d'insuline qui lui procure une énorme faim en vue d'une énorme collation. Cette faim hypertrophiée ne se contente pas d'allégé, de graines ou de légumes variés. Ce qu'il lui faut, ce sont des sucres, des graisses, du consistant, du pesant à se mettre sous la dent. Et cette faim-là tenaille sans fin puisqu'elle se trompe d'objet. Ce n'est pas vraiment de chips, de chocolat ou de millefeuilles qu'elle voudrait se nourrir, c'est d'affection, d'égards, d'amour. À chaque bouchée, le boulimique avale du manque de son enfance pour l'enterrer avec les déchets d'aliments. Mais sans succès. Il le retrouve en kilos dramatiques dans ses bourrelets. Comment l'oublier?

C'est un drame de ne pouvoir normalement se nourrir quand on ne pense qu'à maigrir tandis que son cerveau a été programmé sur «gros»!

C'est cette substitution que je n'ai pas apprise qui fait que, pour une collation, trois prunes me suffisent. Je me nourris pour être en santé même si les fluctuations de glucose m'obligent à m'alimenter régulièrement. Mais le cerveau d'une grosse personne a depuis longtemps construit sa réalité sur un désir faussé de manger pour nourrir ses besoins d'affection et d'intimité.

Lorsque manger remplace aimer radioscopie ce qui nourrit la boulimie. Celle de Geneen Roth à laquelle elle ajoute quelques témoignages. Celle de tous ceux qui en souffrent.

Ce déséquilibre porte en lui bien plus qu'un défaut de comportement alimentaire. Il est la reconstitution symbolique de notre manière d'engouffrer ce qui nous touche trop. Geneen Roth s'en confesse avec émotion et sentiment. Mais aussi avec justesse, simplicité et humour. Elle dédramatise et donne perspective à ce qui l'a fait tant souffrir... sans qu'aucun régime n'y puisse rien puisque toute situation restrictive ne fait qu'amplifier les résistances et les défenses. S'enlever le plaisir de manger quand on a tout misé sur lui pour se consoler, c'est se mettre en disette invivable. Faut-il encore se priver pour se guérir de tout ce qu'on a manqué et s'imaginer se défaire de la boulimie qui en a résulté?

L'histoire et les réflexions de Geneen Roth se dévorent comme un repas gastronomique sans laisser les traces de plus de kilos-drames. L'auteur distille avec justesse et sensibilité ce que, de son expérience, on peut prendre pour appui dans la nôtre. Elle nous fait partager avec générosité sa guérison. Et nous la suivons assidûment. Malgré nous, nous sommes entraînés à ramener nos réflexions vers nous. Peut-être ne dévorons-nous pas pour compenser, mais nous avons nos manières à nous de nous consoler et d'en dépendre pour nous apaiser. Toutes nos dépendances de relations, de substances ont besoin de notre prise de conscience pour ne plus nous mener. Tandis que nous participons à la révolution de Geneen Roth, la nôtre s'amorce. Cette lecture n'est à aucun moment, et pour personne, innocente. Elle nous accompagne dans notre propre transformation.

Josette Ghedin Stanké

À Matt,
pour m'avoir chanté des berceuses au cœur de la nuit.
Et bien plus encore...

Introduction

J'ai commencé mon premier régime à l'âge de onze ans, et pendant dix-sept années j'ai consacré la majeure partie de mon temps à penser à ce que j'aimerais manger — mais ne pouvais pas manger — ou bien à ce que j'allais manger — mais n'aimais pas. Plus je tournais en rond dans un monde où n'existaient que deux réalités, la nourriture et moi-même, plus ma faculté à être touchée par les autres diminuait. Lorsque j'eus vingt-huit ans, rien ne m'intéressait plus, si ce n'est mon poids.

Après avoir publié *Feeding a hungry heart* et *Breaking free*, après avoir réussi à atteindre mon poids idéal — et à le garder —, je découvris finalement que ce que je voulais n'était pas *être mince*, mais *devenir mince*.

Aussi longtemps que mon esprit avait été occupé par mes régimes, par la taille de mes vêtements, la quantité de cellulite que j'avais sur les mollets, et surtout ce que serait ma vie si je réussissais enfin à rester mince, personne n'avait pu me blesser réellement — ni ami, ni amant. L'obsession de mon poids était pour moi plus forte et plus présente que toute relation. Dès que je me sentais rejetée, je me rassurais en me disant que ce n'était pas moi mais mon apparence physique qui était rejetée et que tout changerait si je réussissais enfin à être mince.

Je croyais vouloir devenir mince, je découvris que je voulais devenir invulnérable.

C'est alors que je rencontrai Matt, qui devint l'homme auprès duquel je désirais passer ma vie. Après l'euphorie du coup de foudre, je dus affronter la réalité: J'étais restée une enfant qui avait vécu dans un monde imaginaire et ne connaissait rien aux jeux des adultes. Je n'avais jamais vécu de relation intime, si ce n'est avec la nourriture.

J'avais des amis, de bons amis, et une *meilleure amie*. Il y avait eu plusieurs hommes dans ma vie, une de mes relations avait même duré sept ans. Mais ce n'est pas de cela que je veux parler ici. Je veux parler de l'intimité, de l'abandon de soi, de la confiance et de l'acceptation, plutôt que la fuite face à ce qu'il y a de pire en soi.

Ce qui est merveilleux avec la nourriture, c'est qu'elle ne nous quitte pas, ne nous répond pas et ne nous juge pas — ces choses horribles que font les humains. La nourriture fut l'unique objet de mon amour pendant dix-sept ans et elle n'a jamais rien exigé de moi — ce qui était précisément ce que j'attendais d'elle.

Il y a quelques années de cela, le magazine *Glamour* entreprit, auprès de trente-trois mille femmes, une enquête intitulée «Se sentir grosse dans un monde de maigres». Soixante-quinze pour cent des femmes interrogées répondirent qu'elles se sentaient trop grosses. On demanda à ces femmes si leur poids avait une influence sur l'opinion qu'elles avaient d'elles-mêmes: quatre-vingt-seize pour cent répondirent par l'affirmative. Lorsqu'on leur demanda de faire le choix entre perdre du poids, être heureuse en amour, avoir une belle carrière ou retrouver un ami d'enfance, presque la moitié des femmes interrogées répondirent que rien ne les rendrait plus heureuses que de perdre du poids.

Le problème, pour les hommes, se pose différemment. Ceux-ci sont pour la plupart moins préoccupés par leur poids que ne le sont les femmes, bien que nombreux soient ceux qui ressentent une baisse d'assurance s'ils sont l'objet de commentaires sur leur poids. Mais le plus pénible pour les hommes qui souffrent de ce genre de problèmes est qu'il leur est difficile de trouver quelqu'un à qui en parler — car ce ne sont, après tout, que «des histoires de femmes». Mais pour les hommes comme pour les femmes, l'obsession de la nourriture — la boulimie — sert à cacher des problèmes sous-jacents de confiance et d'intimité. Nous préférons consacrer notre temps à perdre du poids plutôt que d'essayer de nous rapprocher de l'autre. Nous préférons nous intéresser à notre corps plutôt que d'apprendre à aimer ou de consentir à être aimés. Car il est plus rassurant de ressentir une souffrance dont nous connaissons la cause et que nous pouvons donc contrôler.

Durant mes deux premières années de vie commune avec Matt, je continuais de me battre contre des habitudes néfastes que je croyais — grâce à mes régimes — avoir vaincues. Pire encore, les peurs de mon enfance, depuis longtemps oubliées, ressurgissaient: peur d'être abandonnée, d'être mal aimée, d'être folle. Chaque instant devenait un combat contre mon passé pour rappeler que j'avais trente-cinq ans — et non cinq — ou qu'il s'appelait «Matt» et non «papa» ou «maman». J'étais sidérée par les similitudes entre ma relation à la nourriture et ma relation à l'amour.

La façon dont nous mangeons reflète celle dont nous vivons. Mais elle reflète surtout celle dont nous aimons. Avoir des envies délirantes, créer des situations dramatiques, éprouver le besoin maladif de contrôler la situation ou désirer ce qui nous est interdit sont les obsessions qui nous empêchent de trouver un réel plaisir dans nos relations — que ce soit à la nourriture ou à l'amour. Et quelques-unes des méthodes qui nous ont permis de nous libérer de nos obsessions nous permettront aussi de partager l'intimité d'un homme: vivre dans le présent, nous prendre en considération, accorder la parole à l'enfant affamé qui est en nous, accepter nos besoins physiques et émotionnels, apprendre — enfin — à accepter le plaisir que l'autre peut nous donner.

Depuis douze ans, j'anime des ateliers sur la manière dont on peut se libérer de la boulimie et, plus récemment, sur les liens qui existent entre notre comportement vis-à-vis de la nourriture et celui que nous avons dans l'intimité. Ces ateliers attirent chaque année plusieurs milliers de participantes. Parmi celles-ci, deux femmes sur quatre ont été violées ou violentées lorsqu'elle étaient enfants, plus de la moitié sont des enfants d'alcooliques et la majorité viennent de familles à problèmes. Pourtant, la plupart sont persuadées que la nourriture et leur poids restent leur plus gros problème. Elles restent convaincues qu'être minces sera la solution à tous leurs problèmes — et ce alors que la plupart ont déjà perdu du poids, de manière significative, à cinq, dix, voire vingt reprises — sans jamais ' obtenir le résultat escompté. C'est pourquoi elles recommencent aussitôt à se goinfrer, reprennent du poids et commencent un nouveau régime.

Les Américains dépensent chaque année trente-trois milliards de dollars afin de perdre du poids. Vingt millions d'Américains ont des problèmes alimentaires. Plus de vingt-cinq pour cent de la population masculine et près de cinquante pour cent de la population féminine suit en permanence un régime. Neuf personnes sur dix reprennent du poids une fois le régime terminé. Et, à ceux dont le régime a échoué cette année, seront offerts, l'année prochaine, trente mille nouveaux régimes.

Les régimes sont inefficaces car la nourriture et le poids ne sont que des symptômes — et non le problème lui-même. L'obsession du poids procure une échappatoire pratique et socialement acceptée aux raisons réelles pour lesquelles tant de femmes mangent sans avoir faim. Les véritables causes de ce genre d'obsession sont complexes et ne pourront jamais être éliminées par la force de la volonté, des calculs de calories ou de l'exercice. De tels comportements ont des racines profondes: sentiment d'abandon, manque de confiance en soi, manque d'amour parental, inceste, brutalité parentale, blocages affectifs, problèmes sentimentaux, vexations, peur d'être à nouveau blessée. Ces femmes se maltraitent ainsi avec leurs obsessions alimentaires parce qu'elles sont persuadées qu'elles ne méritent pas mieux. Elles se maltraitent parce qu'on les a maltraitées. Et si, devenues adultes, elles se détestent et sont malheureuses, ce n'est pas parce qu'elles ont vécu une situation traumatisante mais parce qu'elles l'ont occultée.

Lorsque manger remplace aimer s'adresse au cœur de la lectrice afin de lui expliquer pourquoi elle s'est réfugiée dans cette obsession de la nourriture. Il lui explique les *messages* qu'elle a reçus dans son enfance, et la manière dont elle les a traduits en messages de haine de soi, pour, à son tour, les transmettre à ceux qui l'entourent, et en particulier à ses enfants. Il lui explique aussi pourquoi il est important de s'efforcer de changer sa vie présente plutôt que de se complaire à souffrir des blessures du passé. Et c'est parce que son comportement alimentaire s'est forgé sur les modèles d'amour qu'on lui a donnés, qu'il est nécessaire de comprendre et de travailler à la fois sur ses relations à la nourriture et à l'amour pour pouvoir un jour être heureuse dans l'une comme dans l'autre.

Ce livre est un témoignage personnel. J'ai grandi auprès d'une mère brutale, alcoolique et droguée. Mon père était absent sur le plan affectif lorsque ce n'était pas physiquement. Ce livre raconte mon histoire et la manière dont elle a affecté ma façon de manger et d'aimer. Ce livre raconte ma vie et comment — avec l'aide de Matt —, après avoir vécu pendant des années recluse dans mon univers obsessionnel, j'ai découvert l'intimité. Il a pour but de vous aider à accepter la réalité, à vous guérir pour que vous puissiez pleinement vivre votre vie. Et finalement, à célébrer vos retrouvailles avec vous-même.

Ce livre parle aussi des personnes avec lesquelles j'ai travaillé ou qui m'ont écrit. Avec leur accord, je raconte leur histoire, leur combat, leur victoire.

Lorsque manger remplace aimer est un livre sur l'intimité vue à travers le miroir déformant de la boulimie. Il raconte la peur et la joie que l'on a de briser ce miroir. Ce n'est pas à proprement parler un guide, car il ne donne ni exercices ni méthodes. La substance en est dans le récit. J'espère qu'il vous permettra de retrouver et d'accepter en vous ces fragments de votre vie que vous avez occultés, rejetés ou oubliés. Car ce sont ces fragments qui perturbent profondément votre façon de manger ou d'aimer et vous empêchent de vivre pleinement votre créativité et vos passions, de reconnaître votre juste valeur et d'avoir foi en vous-même.

Dans mes précédents livres, j'avais abordé la manière dont on pouvait se débarrasser de ces comportements obsessionnels et plus particulièrement de la boulimie, mais guérir cette obsession n'est qu'une étape. Il faut ensuite apprendre à vivre l'intimité — avec soi-même et avec les autres —, apprendre à ouvrir notre cœur à l'amour. C'est ce à quoi ce livre est consacré.

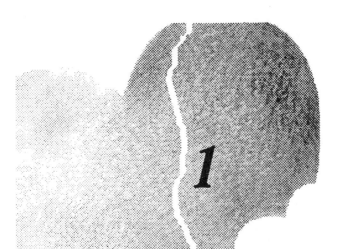

Manger pour compenser

La première fois que je suis tombée amoureuse, c'était à l'école primaire. Il s'appelait Martin Levy et finissait son secondaire. Martin possédait cette musculature solide et noueuse, ces yeux d'agate et ce visage hâlé qui rappellent les après-midi ensoleillés de l'été. Le jour du carnaval, je lui demandai de m'épouser et il accepta. Nous nous présentâmes alors au stand des mariages — tout décoré de banderoles rouges et blanches — où M. Ogden, le professeur de sciences sociales, nous déclara mari et femme. Martin me prit la main, je rougis, et il m'embrassa — sur la bouche. Je fis encadrer le certificat de mariage et l'accrochai près de mon lit pour qu'il ait sa place dans mes rêveries. J'écoutais sans arrêt *Born too late*, une chanson des Pony Tails — jusqu'au jour où mon frère, ne pouvant plus supporter de l'entendre une fois de plus, brisa le disque.

Je commençai mon premier régime la même année. Au début, je croyais que, si j'étais mince, je serais plus belle, plus attirante et qu'ainsi Martin s'intéresserait vraiment à moi. Lorsqu'il quitta le collège, seul subsista en moi le désir d'être belle. Et pendant dix-sept ans la grande passion de ma vie ne fut pas un homme mais mon poids. Autour de moi, le malheur semblait s'acharner: Mes parents s'enlisaient dans une vie de couple infernale; mon premier petit ami mourut d'un cancer; la mère de Candy, ma meilleure amie, se suicida; mon frère, complètement drogué, allait à l'école en frac et haut-de-forme. Mais, tout au fond de moi, je m'étais créé un refuge où, à l'abri de tous ces drames, je me promettais une vie toute de tendresse et de beauté... si seulement j'arrivais à maigrir.

Et je maigris. Il y a de cela treize ans, je décidai finalement d'arrêter tout régime et perdis aussitôt vingt kilos. J'écrivis, sur mon histoire, un livre qui eut du succès: Je participai à de nombreuses émissions télévisées, puis commençai un nouveau livre. Mais j'attendais toujours — enfermée au plus profond de moi-même — que la tendresse et la beauté viennent me délivrer.

Je compris alors que, derrière mon désir d'être mince, se dissimulait en réalité celui d'être amoureuse. Je m'aperçus aussi que lorsque je m'imaginais mince, c'était toujours en compagnie d'un homme et que, si être mince était la clé du bonheur, c'était avant tout la fin de la solitude. Pour moi, amour et minceur étaient synonymes. Je me mis ainsi à chercher l'homme de ma vie avec autant d'énergie que j'en avais jusqu'à présent dépensé à vouloir être mince.

Mais je me rendis vite compte que mettre ainsi ma vie entre parenthèses et attendre l'homme idéal n'était pas une solution. Je décidai donc de m'organiser — sans homme — une vie la plus agréable possible. Je m'installai dans la maison de mes rêves: un petit cottage au bord de la mer, entouré de pruniers, avec des puits de lumière et des baies vitrées. J'animais des ateliers et, grâce au succès de mes livres, je pus progressivement monter ma propre entreprise. J'avais tout pour être heureuse: J'avais des amies que j'appréciais, j'avais un travail qui répondait vraiment à mes aspirations, j'étais mince et en pleine santé. Mais j'étais toujours aussi désespérément seule.

J'essayai alors de me convaincre que l'on pouvait réussir sa vie de femme même sans homme:

«Pense à Katherine Hepburn. Elle est éclatante de vie et de talent, et pourtant elle vit seule. De toute façon, on finit toujours seule. Et mieux vaut vivre seule que de se sentir seule avec quelqu'un que l'on n'aime pas.»

Et j'y croyais. Mais au fond de moi, je rêvais toujours secrètement de baisers langoureux au clair de lune et de corps romantiquement enlacés.

Par plus d'un aspect, j'étais toujours cette jeune fille de quinze ans qui chuchotait dans le noir avec son amie Jil en rêvant du coup de foudre et des élans passionnés de l'amour.

«Crois-tu que cela fasse mal quand il te le met dedans? demandait Jil.

— Non, je ne crois pas, sinon pourquoi tous ces mystères à propos du sexe? Et puis, si cela faisait mal, pourquoi le ferait-on?

— Sais-tu ce que l'on ressent quand on le fait? demandait-elle alors. Le ton de sa voix s'échauffait.

— Non, je ne sais pas.»

Jil se redressait et allumait la lumière. Elle était trop agitée pour s'endormir. Je me tournais vers elle. La dentelle du col de sa robe de nuit était comme toujours rentrée dans l'encolure. Une énorme poupée de chiffon entourée par toute une ménagerie d'animaux en peluche trônait sur le canapé.

— Je pense que cela doit être la sensation la plus merveilleuse au monde, dit Jil. Tu le regardes dans les yeux, il plonge son regard dans le tien et vous soupirez ensemble. Pendant quelques instants, vous ne formez plus qu'un. Peux-tu imaginer quelque chose de plus excitant?

— Non, murmurais-je, je ne vois pas...»

Je m'endormais alors en rêvant d'un homme aux boucles blondes et aux yeux étincelants.

Dix-neuf ans plus tard, je rêve encore de lui.

L'après-midi, quand le soleil illumine les étoiles de ma couette, je l'imagine assis, là, sur le lit à me regarder. Je fais comme s'il était déjà amoureux de moi, de ce reflet doré dans mon œil droit, de cette façon que j'ai de dire bonjour au téléphone, de la forme de mon visage, de la douceur de ma peau. Et je me sens heureuse, épanouie.

Puis le soir, lorsque l'obscurité s'abat sur la maison, j'allume la lumière et me dirige vers le miroir:

«Ce visage est si gai et si lumineux, dis-je à haute voix, si j'étais un homme, j'aimerais te connaître... Si j'étais un homme, je crois que je tomberais amoureux de toi!»

Peu après la publication de mon livre *Breaking free*, mon amie Babs, la première, me conseilla de faire un effort:

«Comment veux-tu rencontrer un homme alors que tu ne travailles qu'avec des femmes, que tu n'écris que pour des femmes et que toutes tes amies sont des femmes? Sors davantage! Va danser! Va à des soirées!»

Et Sara, ma meilleure amie:

«Crois-tu donc qu'il va venir, tout seul, sonner à ta porte et entrer comme ça dans ta vie? Il en faut un peu plus. Ne sois donc pas si timide.»

Ellen, quant à elle, me rassura:

«Ne t'inquiète donc pas. Un seul suffit. Tu le trouveras.»

Mais j'avais toujours peur de ne pas avoir assez de ce qu'il faut ou trop de ce qu'il ne faut pas pour pouvoir avoir avec un homme une relation durable.

Babs me poussa finalement à mettre une petite annonce dans le journal local:

«C'est le dernier truc pour rencontrer un homme: C'est mieux que les bars, les soirées ou les cours du soir. Et de cette façon, tu peux être précise dans l'appel de l'homme que tu souhaites rencontrer.»

Lorsqu'elle s'installa avec l'homme qu'elle avait rencontré par son annonce, je finis par me dire qu'elle avait peut-être raison.

Je consacrai près de quatre mois à la rédaction de ma petite annonce. Je n'arrivais pas à savoir si je devais me décrire comme étant séduisante ou très séduisante, si je devais ou non avouer que je n'aimais pas les films de Woody Allen mais que je raffolais du chocolat. Je ne voulais pas mentionner que j'avais écrit des livres car je ne voulais pas qu'on me reconnaisse, mais je n'aurais pas voulu non plus être malhonnête. Après avoir corrigé l'annonce quelques centaines de fois, je soudoyai Maureen, ma directrice de bureau, pour qu'elle la déposât au journal. Ils croiraient ainsi qu'elle en était l'auteur. Le texte final était celui-ci:

«Un amant qui soit aussi un ami: Je suis une jeune femme juive dynamique et séduisante, âgée de 34 ans, menant une carrière brillante dans un domaine qui la passionne, avec un sens de l'humour à toute épreuve et le désir d'établir une relation durable avec un homme qui soit un ami autant qu'un amant. Selon l'humeur et les circonstances, je suis: espiègle, sérieuse, excessive, tendre ou sensible. J'aime le plein air, une vie saine, danser, le chocolat et découvrir le fantastique dans la vie de tous les jours. Les films de Woody Allen me dépriment. Je recherche un homme célibataire de 30-45 ans, menant une vie professionnelle active, qui soit gentil, à l'aise et honnête avec lui-même (un homme, un vrai), qui sache rire, être autonome, écouter, ne pas se défiler dans les moments difficiles, et qui croit que la présence d'une femme dans sa vie est indispensable à son épanouissement. Je ne dirais pas non à un cordon-bleu.»

Je reçus soixante-dix lettres, dix photos, deux bouquets de roses, trois poèmes et une miche de pain à l'oignon. Avec mon amie Ellen, je divisai les lettres en trois catégories: *oui*, *non* et *peut-être*. Je relus ensuite les *oui* avec Sara et établis un plan d'action selon lequel je devais appeler chaque soir deux ou trois personnes. Mais je n'en avais pas la moindre envie. Je ne voulais à aucun prix subir l'humiliation de ces premières minutes de conversation avec des hommes que je ne connaissais pas et que, probablement, je ne désirerais jamais connaître. Je voulus tout oublier: jeter les lettres à la poubelle et devenir nonne. Sara me proposa finalement un compromis: Je téléphonerais de mon bureau et, dès la première sonnerie, elle décrocherait le poste de la pièce voisine et nous pourrions ainsi communiquer, elle et moi, par signes.

«Allô?

— Bonjour. Je m'appelle Geneen. Je vous appelle parce que, hum, parce que j'ai mis une petite annonce dans le journal et que vous y avez répondu.

— Quelle annonce? J'ai répondu à un paquet d'annonces...»

C'est en général à ce moment que je lançais à Sara un coup d'œil désespéré du genre «Oh, mon Dieu! comment ai-je pu me fourrer là-dedans...» Elle, impitoyable, me foudroyait en retour d'un regard signifiant: «Veux-tu te taire et lui répondre!»

Je fis ainsi la connaissance de toutes sortes d'hommes: des programmeurs informatiques, des psychologues, des employés du bâtiment, parmi bien d'autres. Je parlai à toutes sortes de personnages: un homme qui avait mordu l'oreille d'un voleur, un autre qui vivait avec sa mère et son ex-femme, sans parler de celui qui possédait quinze chats, trois pinsons et un poisson rouge. Chaque fois que je parlais à quelqu'un qui semblait me plaire, j'essayais d'imaginer, d'après sa voix, son physique. Et chaque fois je me trompais. Un homme qui se présenta comme grand et maigre se révéla, lorsque je le rencontrai, mesurer un mètre soixante et être plutôt rondouillard. Un autre prétendit avoir belle allure et assura que je ne serais pas déçue. Il ne m'avait cependant pas avoué qu'il lui manquait des dents et qu'il avait une rose tatouée sur la joue droite. Après cinq semaines passées à rencontrer des inconnus sur le perron de la poste ou devant les brioches aux raisins de la boulangerie Gayle, je n'avais pas rencontré une seule personne que je pus souhaiter revoir.

C'est alors que je rencontrai Matt. Sans annonce.

Je le remarquai, lors d'une conférence, alors qu'il présentait sa communication. Dès le premier instant, il m'envoûta. Il était à la fois irrésistible, drôle et sexy: Je voulus tout de suite le rencontrer. Lorsque je le revis, le lendemain, je me présentai. Je lui dis que son discours avait été passionnant et qu'il portait les mêmes lunettes de soleil que moi. Il me remercia poliment et me félicita pour mon bon goût en matière de lunettes. Puis il s'en alla.

Le dernier jour de la conférence arriva, la psychologue Virginia Satir devait prononcer le discours de clôture et l'auditorium était noir de monde. J'avais cependant réussi à trouver une place au premier rang, face à l'estrade. Quand, tout à coup, je remarquai du coin de l'œil Matt qui se dirigeait vers la porte du fond, sans réfléchir un seul instant, je me précipitai après lui, me faufilant tant bien que mal à travers la foule, enjambant pieds et genoux, trébuchant — sous les huées — sur divers sacs à main. Lorsque je réussis finalement à le rejoindre je lui déclarai d'un trait:

«Je me suis présentée hier, mais je ne crois pas que vous ayez retenu mon nom. Je m'appelle Geneen Roth et je voulais vous dire à quel point j'avais été touchée par votre discours.»

Cette fois, il me remarqua.

Dès notre premier rendez-vous, j'étais enflammée, submergée par une passion dévorante, éblouie par l'avenir radieux qui s'offrait à moi. J'aimais tout en lui: la manière qu'il avait de me regarder, la façon dont il parlait de son travail et l'intérêt qu'il montrait pour le mien. J'étais folle de ses dents, de la courbe de son nez, de l'éclat de son rire. Quand il laissa sur mon répondeur un message disant: «Je voulais juste vous dire à quel point j'avais été heureux de faire votre connaissance... à quel point je suis heureux que vous fassiez désormais partie de ma vie», j'appelai aussitôt Sara pour lui raconter que je vivais un rêve: «Un homme qui dit ce qu'il ressent, je n'arrive pas à y croire!»

Lors de notre deuxième rendez-vous, nous sommes allés au jardin botanique. Nous nous étions assis près d'un parterre d'iris mauves. Après un long silence, il prit sa respiration et me déclara d'un trait:

«Je sais que cela va peut-être vous sembler dément de vous dire comme ça, de but en blanc, que je ne veux plus rien d'autre que vous. Mais c'est vrai: Je ne veux plus rien d'autre que vous. Je crois que je suis tombé amoureux de vous.»

J'explosais, je voulais me saouler de toutes ces fleurs, dévorer toutes ces couleurs et le couvrir de baisers parfumés. «Ne me réveillez pas, le suppliai-je, si c'est un rêve, je vous en supplie, ne me réveillez pas!»

Les huit mois qui suivirent furent baignés d'euphorie: Je bondissais chaque matin de mon lit en chantant, je riais tellement que j'en avais mal aux joues, je l'embrassais si fort que j'en eus même des crampes aux lèvres! J'étais si différente avec lui: plus gentille, plus calme, plus heureuse. Je rayonnais l'amour, j'éclatais de lumière.

Et puis, lentement, tout revint à la normale.

Une femme qui, à la suite d'un régime, avait perdu plus de trente kilos vint un jour à l'un de mes ateliers. Lors d'une séance, elle se leva et, devant cent cinquante personnes, commença d'une voix tremblante de colère:

«J'ai l'impression d'avoir été volée. On m'a dérobé mes plus beaux rêves. J'avais toujours été persuadée que si je perdais du poids ma vie en serait transformée. Mais seule ma silhouette a changé. Intérieurement, je suis restée la même. Je suis toujours cette enfant qui a perdu sa mère et que son père battait. Je me sens toujours aussi en colère et toujours aussi seule. Et maintenant, je n'ai même plus l'espoir de pouvoir maigrir…»

Nous mettons tous nos espoirs dans le fait qu'être minces ou être amoureuses pourra nous apporter enfin cette tendresse et cette beauté dont nous avons tant besoin. Le choc de découvrir que ni l'un ni l'autre ne sont la solution tant espérée peut alors tourner au désastre. Surtout si nous espérions ainsi pouvoir oublier — ou au contraire retrouver — celle que nous sommes vraiment.

Un comportement obsessionnel est la manifestation du désespoir sur le plan émotionnel. Les substances, les personnes ou les activités qui nous obsèdent sont celles que nous croyons capables de nous débarrasser de ce désespoir.

Le désespoir.

C'est enfant que je l'ai ressenti pour la première fois. Je ne savais même pas comment le nommer. Ce n'était pour moi que la sensation physique que le monde allait s'écrouler et qu'il n'y avait rien à faire: personne à qui parler, aucun moyen de l'éviter, aucun moyen de s'en débarrasser.

Si j'examine ma vie présente, je n'y vois aucune raison de désespérer. Et pourtant, parfois — à vrai dire, trop souvent — il suffit d'un simple incident, apparemment insignifiant, pour que tout autour de moi — le ciel, mon corps, le visage de Matt — s'effondre en poussière.

Cela fait neuf mois que Matt et moi nous sommes rencontrés. Nous sommes à l'aéroport de New York, La Guardia. Nous revenons des Bermudes, où nous avons passé cinq jours à dévorer des romans, à faire l'amour comme des fous, à nous goinfrer de papayes et à noyer notre chambre sous des gerbes de bougainvillées. Nous nous dirigeons vers la sortie: Il doit prendre un taxi pour le centre-ville et moi le bus pour Rhinebeck. Je suis paralysée à l'idée de le quitter. Ce n'est pas que j'aie peur de me sentir seule sans lui — je sais apprécier la solitude, ni que je n'aie rien à faire durant les cinq prochains jours — je dois me rendre à Rhinebeck pour y diriger un atelier. Si je ressens une telle panique, c'est que cette séparation réveille en moi de vieux démons. Je ne veux pas qu'on m'abandonne.

«Si tu me quittes, je n'ai plus rien.» Nous habitions un appartement gris: des chaises grises, un tapis gris, un canapé gris. J'avais trois ans. Elle était sur le point de sortir. Je commençai à crier: «Si tu t'en vas, maman, je n'existe plus.» J'étais tapie dans un coin de la pièce. Lorsque la porte se referma sur elle, je m'écroulai sur le sol et éclatai en sanglots. Arriva Ann, notre *baby-sitter.* Elle me prit dans ses bras, m'assit sur l'aspirateur et me promena ainsi tout l'après-midi. Quand ma mère revint, elle m'offrit un beau foulard bleu-blanc-rouge.

«Si tu t'en vas, il ne me restera plus rien.» Nous habitions un appartement noir et blanc: des fauteuils noir et blanc, un sol de marbre noir et blanc, un divan noir et blanc. J'avais onze ans. C'était l'après-midi et j'étais allongée dans ma chambre. Elle m'annonça qu'elle allait demander le divorce. Je fondis en larmes: «Que va-t-il m'arriver? Avec qui vais-je vivre? Où vais-je aller? Ne pars pas, maman, je t'en supplie. Si tu t'en vas, je n'ai plus rien.»

Matt et moi sommes arrivés devant le taxi. Il se retourne pour me dire au revoir, se penche et m'embrasse. La panique me noue la gorge.

Demain n'existe plus. Impossible de m'imaginer sans lui. Mon univers se réduit à l'instant présent. «S'il me quitte, il ne me reste plus rien.»

«Je t'appelerai dimanche soir chez ta mère.

— Un jour où je serai en voyage, tu ne pourras pas me joindre et c'est alors que tu réaliseras à quel point je te manque!

Il me regarde un instant, étonné, puis me répond:

— Mais c'est exactement ce que je vis maintenant: Je ne pourrai pas te joindre avant dimanche et tu vas terriblement me manquer.

Je reste muette. Je voudrais qu'il me dise: «Je vais annuler tous mes rendez-vous et venir avec toi à Rhinebeck.» Je voudrais qu'il me dise: «Je ne peux plus supporter ces séparations: Ne nous quittons plus jamais», ou encore: «Je t'aime trop pour pouvoir te quitter, ne serait-ce qu'un instant.» Mais, au lieu de cela, il ajoute simplement:

«Je t'aime, Geneen. Je sais que cela est pénible pour toi, mais tu oublies que nous avons de merveilleuses journées, de merveilleuses années devant nous, ensemble tous les deux. Ceci n'est pas un adieu... Bon, il faut que j'y aille maintenant. J'ai un rendez-vous dans une demi-heure. As-tu quelque chose à me dire?»

Je fais non de la tête. Il me regarde quelques instants avec attention, me donne un léger baiser, puis se retourne et disparaît dans le taxi.

Je le déteste.

Son amour devait me guérir de mes souffrances. Mais, au contraire, il ne fait que les raviver: toutes ces années où je suis rentrée seule de l'école pour ensuite errer solitaire de pièce en pièce. Je m'asseyais sur le sofa de velours beige et fixais des yeux la nature morte: un gros fromage rond, une pomme rouge et un couteau avec un manche de bois noir. J'allais ensuite dans la cuisine, ouvrais la porte du réfrigérateur, la refermais, puis la rouvrais pour la refermer à nouveau. Je l'ouvrais une dernière fois... et vidais le réfrigérateur! Je me rendais ensuite dans la chambre de ma mère m'y enivrer des effluves de son parfum. J'ouvrais sa boîte à bijoux, y prenais deux grands anneaux d'or et les mettais à mes oreilles. Je me souriais dans le miroir, faisant semblant d'être à une soirée et de saluer les gens d'un regard. J'aurais voulu que ma mère soit là pour me dire que j'étais mignonne et qu'elle m'aimait. J'aurais voulu qu'elle me rassure, qu'elle me jure que notre monde n'allait pas s'écrouler sans crier gare et que je n'avais donc aucune raison de me tuer ainsi à vouloir être parfaite. J'aurais aussi voulu que mon père rentre pour dîner. Qu'il dise à ma mère qu'elle était terriblement séduisante et qu'il était amoureux fou d'elle.

L'amour de Matt devait me débarrasser de ces souffrances. De toutes ces souffrances! De toutes ces années... Je croyais que quelqu'un qui partagerait mon lit, ma table, ma vie m'aiderait à les oublier. Mais en de nombreuses occasions — l'incident de l'aéroport n'en est qu'une parmi d'autres — je me retrouvai terrassée par ces angoisses remontant à l'époque où j'errais seule dans la maison de mes parents.

Notre comportement obsessionnel est une forme de désespoir fondée sur le sentiment que personne ne nous attend chez nous, et c'est pour cette raison que nous sommes obsédées par l'idée de trouver quelqu'un qui vienne vivre chez nous.

Nous n'avons jamais rien désiré que l'amour.

Nous ne désirions pas devenir obsédées. Nous le sommes devenues par instinct de survie. Nous le sommes devenues pour éviter la folie. Pour notre bien.

La nourriture était pour nous une forme d'amour: Manger était la seule façon d'être aimées.

La nourriture ne nous a pas abandonnées lorsque notre père ou notre mère l'a fait.

La nourriture était là lorsque nos parents ne l'étaient pas.

La nourriture ne nous faisait pas mal.

La nourriture ne disait jamais non.

La nourriture ne se saoulait pas.

La nourriture était toujours là.

La nourriture nous réchauffait lorsque nous avions froid et nous rafraîchissait lorsque nous avions chaud.

La nourriture était devenue notre plus fidèle amie.

Mais la nourriture n'est rien d'autre qu'un substitut à l'amour. Elle n'a jamais remplacé — et ne remplacera jamais — l'amour.

Pourtant, nombreuses sont celles d'entre nous qui avons depuis si longtemps remplacé l'amour par la nourriture que nous ne savons plus faire la différence entre manger et aimer. Nous ne reconnaîtrions même plus l'amour s'il venait frapper à notre porte.

Non que nous soyons devenues stupides mais, n'ayant jamais vraiment été aimées, nous ne savons pas ce qu'est être amoureuse. Nous ne savons tout simplement pas ce qu'est l'amour. N'ayant jamais vraiment été aimées, nous sommes incapables d'aimer en retour. Le comportement obsessionnel est fondamentalement la manifestation d'un manque d'amour de soi: la manifestation de notre incapacité à nous aimer.

Hier, une amie écrivain est venue me voir. Elle m'apportait dans une jarre de porcelaine blanche des mûres qu'elle venait de mettre en conserve. Une fois assise à la table de la cuisine, Lyn, la tête entre les mains, me raconta qu'elle devait assister la semaine prochaine à une conférence mais qu'elle ne pourrait y aller. Je lui demandai pourquoi. Et voici ce qu'elle me répondit: «Parce que Kristin y sera et que j'ai pris cinq kilos depuis notre dernière rencontre.» Avant que je ne puisse dire un mot, elle corrigea d'elle-même: «En fait, ce ne sont que trois kilos.»

Elle poursuivit ensuite:

«Tu sais, Kristin et moi avons toujours pesé exactement le même poids. Il faut que je redevienne aussi mince qu'elle.

— Et pourquoi voudrais-tu être aussi maigre que Kristin? demandais-je, me souvenant de ses hanches osseuses et de ses pieds plats.

— Qui ne le voudrait pas?

— Moi, lui répondis-je d'un signe.

Je lui demandai alors à quoi elle passerait son temps si ce n'était à se préoccuper de son poids.

— Je ne sais pas. Je serais sûrement obnubilée par ma peur d'être un mauvais écrivain.»

Plus tard, dans la soirée, je repensai à la visite de Lyn et me dis que les obsessions sont rarement ce qu'elles semblent et que nos problèmes de poids cachent le plus souvent des problèmes bien plus sérieux, qui eux-mêmes en cachent parfois d'autres plus profonds encore. J'en conclus donc que la véritable angoisse de Lyn était en fait d'être un mauvais écrivain. Mais lorsque je lui parlai de nouveau le lendemain, elle me dit:

«Tu sais, hier, je me suis rendu compte en rentrant chez moi que je t'avais menti: Tu m'as demandé ce qui me tracassait et je t'ai répondu ‹mon métier d'écrivain›. Mais c'est faux.

— Mais quoi alors?

Elle prit sa respiration. Je retenais mon souffle.

— Je sais que cela va te sembler un peu tordu, mais je crois que ce dont j'ai vraiment peur c'est de ne pas être assez bien. Je crois qu'il y a, au fond de moi, quelque chose qui ne tourne pas rond et que, pour cette raison, je ne suis pas digne d'être aimée.»

Nourriture et amour. Nous sommes devenues boulimiques à la suite du manque ou de l'absence d'amour que nous avons éprouvé dans notre enfance. Si, enfants, nous nous sentons mal aimées, méprisées, incomprises, nous nous efforçons alors par tous les moyens de nous conformer aux modèles que les autres nous imposent. Nous croyons que nous n'avons aucun droit et n'osons plus rien demander. Nous n'osons même plus parler aux autres de ce qui nous fait mal ou de ce qui nous fait plaisir. Nous perdons tout espoir en autrui et commençons à ne plus compter que sur nous-mêmes — et sur nous seules — pour obtenir le soutien, le confort et le plaisir dont nous avons tant besoin. Nous commençons à nous goinfrer et ne faisons bientôt plus que cela.

Trina n'avait que trois ans lorsque sa mère la confia un jour à sa grand-mère, lui disant qu'elle reviendrait la chercher le lendemain. Trina, le lendemain, s'assit sagement sur le perron de la ferme et attendit sa mère. Elle l'attendit également le jour suivant. Et le suivant. Et ainsi Trina attendit chaque jour — pendant huit ans — le retour de sa mère. Et pendant ces huit années, la grand-mère de Trina se plaignit chaque jour d'avoir à s'occuper d'elle. Mais elle faisait plus que se plaindre. Elle battait Trina, avec sa canne, jusqu'au sang: tous les jours pendant huit ans. Quand Trina allait à l'école couverte de plaies et d'ecchymoses, les professeurs lui demandaient: «Trina! est-ce que quelqu'un te bat?» Et invariablement elle répondait:

«Non, m'dame, je suis tombée dans l'escalier», ou: «J'ai trébuché en venant à l'école ce matin», ou encore: «Je me suis cognée contre le réfrigérateur». Elle avait tellement peur, si elle attirait des ennuis à sa grand-mère, d'être battue plus fort encore, ou pire, qu'ils s'en prennent à sa grand-mère et qu'elle se retrouve seule, sans nulle part où aller.

Trina survécut. Certains enfants survivent en se réfugiant dans la drogue, d'autres fuguent, d'autres encore finissent dans des établissements psychiatriques. Trina trouva autre chose, deux choses en fait. La première fut de se mettre un élastique autour du poignet. Elle l'utilisait, après que sa grand-mère l'ait battue, pour «revenir au présent». Elle apprit très rapidement à quitter son corps:

«Lorsque je recevais une correction, raconte Trina, je pensais à quelque chose de complètement différent: la leçon que l'on avait apprise à l'école le matin — comment épeler ‹princesse›. Je pensais aux fleurs du jardin, aux camélias rouges qui, quand ils fleurissent, sont tout tachetés de jaune. Quand ma grand-mère cessait de me frapper et rentrait dans la maison, je restais dehors allongée par terre. C'est alors que je faisais claquer l'élastique sur mon poignet. Je savais que cela ferait un peu mal, mais son claquement et sa brûlure sur ma peau me faisaient quitter les camélias rouges pour me ramener au présent, devant la maison de ma grand-mère avec les corvées à faire au plus vite si je ne voulais pas qu'elle me batte à nouveau.»

La seconde solution que trouva Trina fut de subtiliser de la nourriture dans la cuisine et de la cacher sous son lit. Des boîtes, des conserves, toutes sortes de nourritures:

«Ma grand-mère gardait ses confiseries dans la commode de sa chambre, raconte-t-elle, sous les soutiens-gorge à baleines. Quand elle regardait la télé, je me glissais dans sa chambre, dissimulais quelques bonbons sous ma chemise et retournais les cacher sous le matelas de mon lit. Parfois, j'allais aussi prendre des boîtes de conserve dans la cuisine, que je dissimulais ensuite au même endroit. Puis, au milieu de la nuit, lorsque ma grand-mère était endormie, j'allumais ma lampe de chevet, sortais mon ouvre-boîte et me mettais à manger. Manger, et en particulier les confiseries que j'avais dérobées dans la commode de ma grand-mère, me donnait l'impression d'être quelqu'un de spécial.»

À défaut de l'amour de sa grand-mère, Trina s'était approprié sa nourriture.

La vision qu'elle avait du monde qui l'entourait et de la place qu'elle y occupait était le résultat de longues heures de réflexions qui s'énonçaient à peu près en ces termes:

«J'ai fait quelque chose de mal et c'est pour cela que ma mère n'est pas revenue. Je suis mauvaise.

Les gens mentent. Il vaut mieux ne pas les croire.

L'amour fait mal.

Quand quelqu'un part, il ne revient jamais.

Je lui coûte trop cher. Je lui demande trop. C'est pour cela que ma grand-mère ne m'aime pas.

Si je pouvais faire tout ce que me demande ma grand-mère, je serais vraiment gentille et ma maman reviendrait.

Ma grand-mère est une grande personne: Elle doit avoir des raisons pour me battre ainsi tous les jours. Si j'étais vraiment gentille, elle ne me battrait pas.

C'est mieux de manger que de s'intéresser aux gens: La nourriture, elle, ne nous abandonne pas, les mamans si. La nourriture ne nous bat pas, mais les grands-mères si.»

Quand Trina eut onze ans, sa mère revint. Lorsque je la rencontrai, elle avait trente-trois ans. En vingt-neuf ans, elle avait gagné ou perdu plus de sept cent cinquante kilos. En moins de dix ans, elle s'était mariée, avait divorcé, avait eu trois enfants — et venait de se remarier. À propos de son dernier mari, elle disait:

«Je ne peux pas faire l'amour avec lui. Chaque fois qu'il part — même deux jours — en voyage d'affaires, j'ai l'impression que tout s'écroule et que nous devons recommencer à zéro. Comme s'il était à nouveau un inconnu, toujours un inconnu.»

Elle a trop attendu le retour de sa mère pour pouvoir maintenant supporter encore une fois la douleur de l'attente. Lorsque son mari est en voyage, elle se met donc à manger pour soulager sa solitude. Son obsession lui occupe l'esprit:

Elle calcule combien de kilos elle a en trop, combien elle doit en perdre, et fantasme sur les vêtements qu'elle pourrait s'acheter si elle était mince. Elle substitue ainsi à la douleur de l'attente la douleur d'être grosse. Chaque fois que son mari rentre de voyage, ils doivent pour retrouver leur intimité revivre huit ans de mariage: huit années de confusion, de solitude et de trahison. Si jamais ils y arrivent.

Car ce n'est pas seulement lorsque son mari la quitte que Trina se ferme à lui, car son expérience de l'amour est celle de la souffrance. L'amour fait mal. Les gens mentent. Les gens vous quittent. Quand son mari part en voyage, elle n'est pas surprise: Elle sait que les gens vous trahissent. Et c'est pourquoi elle se protège avec soin de la souffrance de ses possibles trahisons — ou de celles des autres. Elle a trouvé une autre source d'amour, une source qui ne se tarira jamais: la nourriture.

Amour et obsession ne peuvent coexister.

L'amour, c'est vouloir — et être capable — de se laisser toucher par un autre être et d'accepter qu'il vous transforme.

L'obsession, c'est au contraire se dissimuler derrière un comportement, une substance ou une personne afin de se protéger au maximum et de pouvoir survivre, supporter et rendre inoffensive toute interaction avec son environnement.

Aimer, c'est s'ouvrir à l'autre, c'est accepter d'être vulnérable, savoir s'abandonner. Mais c'est aussi savoir s'aimer, être forte et avoir la volonté — plutôt que de fuir — d'affronter ce qu'il y a de mauvais en nous.

Avoir une obsession, c'est s'isoler, c'est être égocentrique, se vouloir invulnérable, n'avoir que peu d'estime de soi, être imprévisible et terrorisée à l'idée que si nous affrontons nos peurs, elles nous annihileront.

L'amour nous grandit. L'obsession nous diminue.

L'obsession ne laisse aucune place à l'amour. Et c'est en fait pour cette raison que de nombreuses personnes commencent à avoir des problèmes de comportement alimentaire:

La nourriture occupe pour eux la place que l'absence d'amour a laissée vacante. La fonction même de l'obsession est de nous protéger de la souffrance que provoque cette absence d'amour.

Je suis persuadée que nos comportements obsessionnels sont la conséquence directe des blessures du passé et des jugements que nous avons, à l'époque, portés sur nous-mêmes: à savoir, si — oui ou non — nous méritons d'être aimées. Notre mère nous abandonne et nous croyons que nous ne sommes pas dignes d'être aimées. Notre père est distant et nous croyons que nous lui demandons trop. Un de nos proches meurt et nous décidons qu'il vaut mieux ne plus aimer car aimer finit toujours par faire mal. Nous choisissons alors nos comportements en réaction aux souffrances que nous ressentons, mais nous n'avons, enfant, que peu de choix. Nos choix sont en effet basés sur une compréhension faussée de nos souffrances et sur les moyens limités que nous avons à notre disposition pour nous en protéger. À l'âge de six, onze ou quinze ans, nous décidons une fois pour toutes que l'amour fait mal, que nous ne sommes dignes d'aucun égard — et ne méritons pas d'être aimées — que nous sommes trop exigeantes. Nous décidons alors que nous passerons le reste de notre vie à nous protéger de toutes les souffrances qui pourraient nous menacer. Pour cela, il n'existe pas de meilleure protection que de sombrer dans l'obsession.

Dans tous mes ateliers, on retrouve des personnes dont les parents étaient alcooliques, d'autres dont les parents sont morts ou les ont abandonnées lorsqu'elles étaient enfants. D'autres encore ont été battues ou violées. Pour certaines, pertes, abandons, trahisons prirent des formes plus subtiles: un père absent, une mère possessive, une famille où tout sentiment de malaise doit être occulté ou réprimé.

Enfant, nous n'avons pas les moyens ni la possibilité de réagir à de telles situations. Pour nous, la famille signifie la nourriture, le toit et l'amour sans lesquels nous serions condamnées à mourir. Si nous sentons que la douleur devient trop intense et que nous ne pouvons ni la fuir ni l'éviter, nous décidons alors de l'occulter. Nous décidons de la couvrir par une souffrance moins menaçante: une obsession. Et le processus commence.

Adultes, il est de notre devoir de réexaminer ces jugements que nous avons, enfants, portés sur ce que nous
sommes, sur notre capacité à aimer et notre désir d'être aimées.
Car ce sont dans ces jugements-là qu'ont pris racine nos
croyances sur l'amour et nos obsessions.

Il est impossible d'avoir à la fois un comportement
obsessionnel — envers la nourriture ou quoi que ce soit — et
de vivre une véritable intimité avec soi-même ou avec
quelqu'un d'autre. Ces deux situations ne peuvent tout
simplement pas coexister. Et pourtant, au plus profond d'elle,
la personne qui souffre d'obsession ne désire rien d'autre que
l'intimité. Nous voulons toutes aimer et être aimées.

Enfants, nous n'avions pas le choix. Adultes, nous l'avons.

Choisir l'intimité, de même que refuser de se laisser
enfermer dans un comportement alimentaire obsessionnel —
la boulimie —, n'est pas quelque chose qui nous est accordé
de droit. L'intimité ne se réduit pas simplement à une interaction entre deux personnes, c'est une manière de vivre. À
chaque instant, nous devons choisir: nous dévoiler ou, au
contraire, nous protéger. Nous respecter ou nous humilier. Être
honnêtes ou nous dissimuler. Laisser la vie nous prendre dans
ses bras ou la fuir de peur d'être étouffées. L'intimité, c'est
choisir de retrouver cette vérité profonde qui est au fond de
chacune de nous plutôt que de l'occulter.

Dans tous mes ateliers, il se trouve quelqu'un pour
demander: «Et quand ce miracle va-t-il se produire?»

Ce à quoi je réponds invariablement: «Lorsque vous ferez
le premier pas. Lorsque vous en ferez le choix.»

Pour les personnes qui ont pris l'habitude d'attendre que
d'autres leur accordent l'amour dont elles ont besoin, découvrir
que l'intimité est avant tout un choix, un choix que l'on peut et
que l'on doit faire à chaque instant, est la chose la plus
merveilleuse qu'elles puissent imaginer.

2

Osciller dans le contrôle

La première fois que j'allai dîner chez lui, Matt m'invita à faire le tour du propriétaire. Nous commençâmes par le salon. Un vieux canapé, recouvert d'un tissu indien blanc et bleu, en lambeaux en occupait le centre. À sa droite, se dressait, sur une seule patte, un perroquet de bois sculpté vert et jaune. Sur sa gauche, une lampe vieillotte, avec un abat-jour couleur d'ambre décoré de franges, éclairait une table basse en acajou.

Nous passâmes ensuite dans la salle à manger. Je caressai du bout des doigts le dessus de la table. «C'est du koa, c'est un ami qui l'a faite. Mais venez plutôt en haut», ajouta Matt, m'indiquant l'escalier en colimaçon qui occupait un coin de l'entrée. J'acquiesçai d'un signe de tête. Je voulais tout connaître de lui: les peintures sur les murs de son bureau, les livres sur sa table de chevet, les flacons alignés sur les étagères de la salle de bains.

Je gravis lentement les marches et me retrouvai face à une pièce qui — je le sus immédiatement — avait été occupée par une femme. Du seuil, je pouvais apercevoir des éventails chinois fixés au mur ainsi qu'un bureau dans les tons rose mauve. «C'était le cabinet de Lou Ann», m'expliqua-t-il en pénétrant dans la pièce.

J'avais entendu parler de Lou Ann et de leur pathétique histoire d'amour. Ils avaient vécu cinq ans ensemble, ne se quittant presque jamais. Jusqu'au jour où un cancer des ovaires inopérable l'avait emportée — il y avait de cela un an et demi. Elle avait trente-trois ans. On m'avait raconté comment il lui avait tenu la main pendant chacune de ses chimiothérapies. Il avait entendu dire que, si elle se sentait aimée, le traitement serait moins éprouvant pour elle. Pour cela, il s'était installé à l'hôpital dans la même chambre qu'elle. Elle avait connu une rémission d'un an puis s'était éteinte, dans cette maison, entourée de tous ses amis.

Son bureau, sa pendule émaillée, son stylo, tout était resté disposé comme si elle allait revenir d'un moment à l'autre. Sur une étagère, des boucles d'oreilles d'un rouge vif gisaient abandonnées dans une coupe de porcelaine en forme de cœur. Son agenda de cuir relié, avec un signet transparent en forme d'avion, semblait l'attendre. Sur les étagères de la bibliothèque, étaient alignées, ouvertes, toute une série de cartes de vœux, dont on pouvait lire les messages d'encouragement:

«Je t'aime, Lou. Bats-toi. Soigne-toi. Tu peux le vaincre. Je t'embrasse, Katherine.»

«Prends bien soin de toi, Lulu. Tu es plus forte que le cancer. Tu es une battante. Nous sommes tes amis, appelle-nous quand tu veux. Nous t'embrassons affectueusement, Daniel et Maggie.»

La dernière carte représentait un clown dans un costume argenté, un col et des boutons noirs et, bien sûr, une énorme bouche peinte en rouge. À l'intérieur, on lisait: «Joyeuse Saint-Valentin à mon seul et véritable amour. Je t'aimerai toujours. M.»

Dans mon adolescence, j'avais été hantée par le personnage de Miss Havisham dans *Les Grandes Espérances*. Elle était abandonnée par son fiancé le jour même de son mariage et toute sa vie attendait son retour. Elle avait gardé intacts la pièce montée, les cadeaux, les décorations. Des rats avaient fini par faire leur nid dans le gâteau pourri et des toiles d'araignée pendaient aux guirlandes, mais Miss Havisham — âgée de quatre-vingts ans — attendait toujours, dans sa robe de mariée, le retour de son bien-aimé.

En pénétrant dans le bureau de Lou Ann, je découvrais un univers parallèle où la frontière entre le rêve et la réalité, le passé et le présent, la vie et la mort s'était estompée.

Pourquoi ces cartes d'encouragement toujours affichées plus d'un an et demi après sa mort? Pourquoi avoir laissé traîner ses boucles d'oreilles? Et son agenda? Le cuir en était tanné et écorché comme de l'écorce de saule, avec, dans le coin supérieur droit, la trace sombre d'un verre. J'étais tiraillée entre deux désirs: celui de l'ouvrir et de connaître son écriture, de savoir où elle était allée, qui elle avait rencontré, et celui de faire semblant de n'avoir rien remarqué. Combien de pages avait-elle eu le temps d'utiliser? Savait-elle qu'elle allait mourir avant la fin de l'année? Et ces boucles d'oreilles d'un rouge étincelant qui me plaisaient tant! Toutes ces traces de sa présence lui avaient survécu... Dans ses tiroirs, j'aurais sûrement trouvé la liste des courses de la semaine: savon, shampooing, ampoule électrique... J'y aurais aussi certainement trouvé des photos, des mots de Matt: «À plus tard, chérie, je suis sorti faire un tour.»

Je me sentais oppressée, tendue. Ma respiration était bruyante et difficile. Une douleur me transperça la poitrine. Pourquoi ses boucles d'oreilles étaient-elles toujours là? Elle n'avait que trente-trois ans! Je voulais tout savoir d'elle! Mais j'aurais voulu aussi pouvoir oublier jusqu'à son nom... et celui de Matt! Sortir de la pièce, descendre les escaliers, passer en courant devant le canapé indien et claquer la porte — pour ne plus jamais revenir.

Je ne voulais pas tomber amoureuse d'un homme qui aimât une autre femme. Même si cette femme était morte. Surtout si cette femme était morte. Jamais je ne pourrais supporter la comparaison. Elle resterait à jamais dans son cœur, parfaite et intouchable. Et je serais toujours hantée par l'idée qu'il est avec moi parce qu'il ne peut être avec elle. Je veux occuper la première place dans le cœur d'un homme. Je veux que cet homme m'aime comme il n'a jamais encore aimé. Et Matt ne semblait pas être le candidat rêvé.

Je voulais avoir le contrôle absolu de la situation: contrôle de mes sentiments, des siens et de notre relation. Lorsque j'avais rêvé de ma rencontre avec l'homme idéal, jamais je n'avais pensé que la mort et la souffrance viendraient s'interposer entre nous. Dès notre second rendez-vous, notre histoire d'amour — son allure, son ton, le caractère des sentiments que nous devions exprimer — dérapait hors du chemin que je m'étais méticuleusement tracé. J'avais perdu le contrôle. Je le savais et je détestais ça.

Debout dans le bureau de Lou Ann, le bruit des voitures dans la rue me sembla soudain assourdissant. Je devais rompre le silence.

Je regardai Matt. Il tenait dans ses mains deux petits jeux de cartes.

«Qu'est-ce que c'est?

— On appelle cela des cartes Oh. On choisit une carte avec un dessin et une carte avec un mot, puis on explique ce que représente pour nous la combinaison des deux cartes. Voulez-vous y jouer?

— Pourquoi pas.

— D'accord. Je commence.

Il piocha une carte représentant un enfant sur le point de descendre en toboggan et une autre avec le mot *joie*. Il me dit alors:

— J'ai l'impression d'avoir gravi un long et douloureux escalier, mais je suis de nouveau prêt à accueillir la joie et j'ai follement envie de jouer — avec vous.»

Lors de nos huit premiers mois ensemble, Matt pleurait presque tous les jours. Parfois en se réveillant le matin, parfois en faisant l'amour. Un soir où nous étions sortis danser, on passa *I'm so excited* des Pointers Sisters. Il me demanda aussitôt si nous pouvions partir: «C'était une des chansons préférées de Lou Ann. Je ne peux plus l'écouter sans elle.»

Il me demandait, lorsqu'il pleurait, de le prendre dans mes bras. Je le serrais alors contre moi et le berçais, lui caressant le front et les cheveux. Il me racontait les derniers moments de Lou Ann, combien son cancer l'avait amaigrie, le masque à oxygène qu'elle avait dû porter dans ses derniers instants et les injections qu'il devait lui faire. Parfois, il souriait timidement en parlant de l'espièglerie de Lou Ann avant sa maladie et de la gaieté et de l'humour qu'elle avait su garder jusqu'à la fin. Il me parla alors de leurs premiers moments de bonheur ensemble. Lors de leur premier voyage à Hawaï, ils avaient pris des leçons de hula sur un podium. Chaque fois que Lou Ann commençait de faire rouler ses hanches, elle se débrouillait pour le faire chuter du podium. Ils furent bientôt pris d'une telle crise de fou rire qu'ils en furent incapables de danser. Lou Ann était toujours restée une enfant. Elle aimait tout le monde et tout de monde l'aimait. S'il avait rendez-vous avec elle au restaurant et qu'il arrivait à peine un quart d'heure en retard, il la trouvait déjà assise à une autre table, parlant et riant avec un groupe d'inconnus. «Elle était irrésistible. Tout le monde l'aimait, même le facteur.» Lorsque Lou Ann fit sa thèse sur le comportement amoureux des ours polaires, elle allait chaque jour au zoo les observer. Après une semaine, César, le plus féroce des mâles, lui léchait la main.

Dans le bureau de Matt, un mur était tapissé de photos de Lou Ann. Je les comptais: plus de vingt-cinq. Lou Ann bébé, Lou Ann en maillot de bain, Lou Ann embrassant Matt, Lou Ann tenant la main de Matt, tous les deux des mèches roses dans les cheveux, tous les deux riant aux éclats. Sur la lampe était accroché un mot. L'écriture était celle d'une femme: «Lou aime Matt.» Dans la cuisine, près d'un flacon de savon en ivoire, se trouvait un cœur de céramique blanc et bleu sur lequel était gravé «Matt et Lou». Dans la salle de bains on trouvait un porte-savon gravé à son nom, sans oublier, bien sûr, dans l'armoire de toilette, ses médicaments. Son nom, son visage, étaient partout. Lou Ann, Lou Ann, Lou Ann!

Mes sentiments vis-à-vis de Matt furent profondément ébranlés durant cette période de notre relation où il s'abandonna à sa douleur d'avoir perdu Lou Ann. J'étais émue par ses larmes et par sa souffrance. Je savais combien il était important pour lui — et pour moi — qu'il puisse ainsi pleurer dans mes bras. Je sentais dans ces moments-là à quel point il était vulnérable et avait besoin de moi. Je commençais aussi à me rendre compte de ce qu'avait pu être pour lui ce cauchemar: la voir ainsi s'amaigrir sans cesse, perdre ses cheveux, pour finalement accueillir la mort comme une amie venue la soulager. Matt en avait été profondément marqué. Mais je commençais aussi à craindre — si jamais quelque chose lui arrivait — que ma vie, où il prenait de plus en plus de place, fut complètement détruite. «Tout le monde a peur de cela!» me dit Sara. «Mais ce qui est sûr, Geneen, c'est que c'est un homme sincère. Sois patiente, un tel homme en vaut la peine.»

J'étais tombé follement amoureuse de lui. Il avait sur moi un effet magique. J'étais aux anges. Pour moi, la vie était un paradis! Pour lui, elle était un enfer. J'avais l'impression que la vie nous couvrait de ses bienfaits. La vie lui avait volé son plus précieux trésor. J'avais rencontré l'amour de ma vie. Il venait de perdre le sien. Faire l'amour avec lui me transportait hors de mon corps, plus loin que l'horizon, dans un endroit merveilleux où tous mes problèmes disparaissaient en fumée. Faire l'amour le plongeait dans un désespoir sans fond. Je me sentais plus forte et plus vivante que jamais. Une partie de lui était morte avec Lou Ann et il ne savait même pas s'il pourrait un jour s'en remettre. Ou même s'il le voulait. J'aurais voulu que la force de mon amour fût suffisante à le guérir. Mais tel n'était pas le cas. Je voulais être la seule femme de sa vie. Je ne l'étais pas.

C'est seulement trois ans après la mort de Lou Ann que Matt et moi décidâmes finalement d'aller voir ensemble un psychologue. J'étais convaincue que Matt, d'une certaine façon, se complaisait dans sa douleur et qu'elle était également pour lui un prétexte afin de ne pas s'engager. Je ne pouvais plus supporter de l'entendre répéter qu'une part de lui était morte avec Lou Ann, ni de voir les murs de son bureau tapissés de photos d'elle. Il fallait que cela cesse.

Me regardant droit dans les yeux, le psychologue me déclara:

«Vous aimeriez vraiment que tout ce passe comme vous le désirez? Vous voulez contrôler ce qui vous arrive et — surtout — comment cela vous arrive. On dirait que vous croyez que, si Matt vous aimait vraiment, il ne regretterait pas autant la disparition de Lou Ann.»

Oui, oui, oui! Tout cela était vrai.

Oui, c'était vrai que je croyais pouvoir tout contrôler de A à Z. Oui, c'était vrai que si les choses ne se passaient pas comme je le voulais, la première pensée qui me venait à l'esprit était que je faisais — ou avais fait — quelque chose de mal et devais faire en sorte de le corriger.

Non, je ne pouvais supporter l'idée de laisser le contrôle de ma vie à quelqu'un ou quelque chose d'extérieur. Cela ne m'avait jamais réussi.

Lorsque j'étais enfant, les bruits familiers de la maison étaient pour moi ceux des claquements de portes et des éclats de voix. Ma mère nous battait, mon frère et moi, nous forçant à nous réfugier dans tous les recoins de la maison. Je me revois encore protégeant mon visage de mon bras, pour éviter qu'elle ne me tire les cheveux ou ne m'arrache les yeux. J'étais terrorisée. Je savais qu'elle était capable de me fracasser le crâne.

Mon père, quant à lui, toujours souriant, faisait semblant de ne rien voir. Il m'offrait des cadeaux, m'appelait son minou et me répétait sans cesse qu'il m'adorait. Il partait tôt le matin au travail et revenait tard dans la soirée, pour, à peine arrivé, se disputer avec ma mère. De ma chambre, je pouvais les entendre crier. La porte claquait. Les derniers cris de ma mère: «Reviens ici, espèce de salaud» étaient couverts par le départ en trombe de la voiture. Lorsque le silence revenait, ma mère rentrait en claquant la porte et éclatait en sanglots, brisant verres et assiettes dans sa colère. Moi, j'attendais. J'attendais que mon père rentre, que ma mère arrête de crier, que je puisse enfin, en toute sécurité, sortir de ma chambre.

À l'âge de douze ans, j'en arrivai à la conclusion que, si je voulais que les choses s'arrangent dans ma famille, c'était à moi de m'en occuper.

Je rédigeai dans mon journal intime une liste intitulée: «Ce que je peux faire pour rendre maman heureuse». La voici:

1. Ranger ma chambre;

2. Lui apporter le petit déjeuner au lit;

3. Lui dire des choses gentilles;

4. Ne pas me mettre en colère ni dire des choses méchantes;

5. Ne pas poser de questions.

Chaque soir, avant de me coucher, je faisais le bilan de ma journée en cochant ma liste, puis soulignais les priorités du lendemain. Tenir cette liste à jour me donnait le sentiment d'avoir accompli quelque chose. Elle me donnait l'impression d'exercer un pouvoir sur la situation.

Je faisais chaque nuit le même rêve. J'étais debout, au milieu de ma chambre, et repoussais de toutes mes forces les murs qui menaçaient de s'écrouler. Je ne pouvais pas lâcher prise, ne serait-ce qu'un instant, sans risquer de voir la maison s'écrouler. Et moi avec.

Lorsque des amies me demandaient de passer la nuit chez elles, je refusais. Je prétendais que je ne me sentais pas bien. Je ne pouvais tout de même pas leur avouer qu'une tâche vitale me réclamait à la maison : empêcher les murs de s'écrouler. Je ne pouvais jamais aller aux comités qui se réunissaient après l'école, ni passer une nuit à l'extérieur. Je ne voulais pas, en rentrant, retrouver ma maison en ruine.

Mon ami Robert me raconta que, lorsqu'il était enfant, sa mère avait eu quatre dépressions en quatre ans. La première fois, elle était restée au lit quinze jours sans se lever. Puis elle avait commencé à ne plus ni parler, ni manger, ni dormir. Lorsqu'il rentrait de l'école, il se précipitait dans sa chambre faire des dessins qu'il allait ensuite lui offrir. Il préparait des toasts et du thé et les lui portait dans sa chambre sur un plateau d'osier blanc. Il croquait une fois le toast puis lui tendait l'assiette en disant: «À ton tour, maman.» Il pensait pouvoir ainsi la guérir. Il était persuadé qu'il ne tenait qu'à lui qu'elle retrouvât la santé.

Maggie, ma psychothérapeute, me disait toujours:

«Tu ne peux chasser personne, Geneen. De même que tu ne peux forcer quelqu'un à rester. Les gens décident de rester ou de partir pour des raisons qui leur sont propres. Et non parce que tu as fait — ou n'as pas fait — quelque chose de mal ce jour-là.»

Je ne la croyais pas.

❤   ❤   ❤

Le contrôle. Voilà un mot que celles qui sont obsédées par la nourriture — les boulimiques pour appeler les choses par leur nom — ne connaissent que trop bien. Il est partout: dans tous les régimes, à toutes les réunions, dans tous les livres. On nous apprend très tôt qu'une partie de notre personnalité — notre faim — est incontrôlable. On nous apprend aussi très vite que, si nous voulons pouvoir vivre comme des êtres humains civilisés, nous devrons toujours avoir l'œil sur cet animal sauvage qui dort en nous. Nous vivons alors dans la peur de la nourriture, la peur des roulés au chocolat, aux amandes et à la chantilly. Et nous croyons que si nous arrivons à contrôler notre faim, tout le reste rentrera dans l'ordre. Mais cette croyance n'est qu'un écran de fumée qui nous masque le véritable problème: Il existe en nous des régions qui n'ont jamais été, et ne seront jamais, sous notre contrôle. Ce sont celles des émotions, des sentiments, de l'amour que nous éprouvons ou recevons.

Lorsque nous partageons notre intimité avec un homme, nous perdons d'une certaine manière le contrôle de notre vie. Nous ne pouvons en effet décider s'il restera ou bien nous quittera, si ses sentiments sont réels ou non, si ce qu'il dira ou fera nous blessera. Nous ne pouvons pas non plus contrôler nos sentiments, nos émotions, notre amour. Nous nous dévoilons et devenons ainsi vulnérables à la souffrance, à la perte, à la mort.

Nous sommes en septembre, je suis en train d'animer un atelier: Il fait une chaleur étouffante et la climatisation est en panne. Au fond de la salle, une dame d'une soixantaine d'années transpire à grosses gouttes. Lorsqu'elle lève la main, je me rapproche et remarque alors qu'elle est emmitouflée dans un manteau de vison.

«Si je ne mange pas, commence-t-elle, je vais mourir.

— Combien pesez-vous?

— Je n'ose pas vous l'avouer.

— Parfois avouer ce qui nous pèse peut soulager, lui chuchote alors une autre participante.

— Je pèse trente-cinq kilos», finit-elle par avouer.

Ses yeux — deux grands trous sombres — expriment un désespoir sans fond. Ses pommettes ne sont que deux plaques osseuses, si plates qu'on les distingue à peine des joues creuses.

«J'ai arrêté de manger voilà vingt ans.

— Que s'est-il passé? demandai-je.

— Ma fille est morte d'une leucémie. J'ai cru que j'en mourrais.»

Plutôt que de se laisser dominer par leurs sentiments, nombreuses sont celles qui préfèrent rejeter l'amour d'un homme et consacrer leur vie à un autre amour qu'elles croient — à tort — pouvoir contrôler: celui de la nourriture.

Le problème du contrôle — sur nos actions, sur nos sentiments, sur le comportement des autres — est au cœur de toute obsession. Le manque de contrôle semble en effet être la cause première de l'obsession. Une femme qui assistait à l'un de mes ateliers déclara:

«Quand j'achète une boîte de chocolats, j'en mange un ou deux, puis je range la boîte dans un tiroir. Mais lorsque je retourne à mon bureau, j'entends — au bout de quelques minutes — les chocolats m'appeler. ‹Marni, fredonnent-ils, viens nous manger.› Je vous jure que je les entends! Oh! je sais, ils n'ont pas vraiment de voix, mais ils m'appellent! Et je leur obéis. Je ne peux m'en empêcher. C'est plus fort que moi.»

Lors de mes crises de boulimie, je me sentais comme possédée. Je voulais être mince, je voulais être aimée, je voulais être créative, mais la boulimique en moi voulait tout détruire, tout ravager, tout annihiler. Lors de ces crises, je ne faisais plus attention à personne. Si, dans ces moments-là, quelque chose ou quelqu'un s'était interposé entre moi et la nourriture, je crois que j'aurais été capable de l'abattre — de le tuer. Mais lorsque mes crises cessaient et que je pouvais juger de l'étendue des dégâts — la nourriture que j'avais engloutie, la frénésie avec laquelle je m'étais empiffrée, le désintérêt total que j'avais éprouvé pour ce qui n'était pas de la nourriture —, tout cela m'effrayait. La boulimique en moi semblait avoir son propre esprit, sa propre voix et sa propre volonté.

Je devins peu à peu aussi terrorisée par mes crises de boulimie que je l'avais été enfant par ma mère. Ma mère reste dans ma mémoire cette personne qui perdait facilement le contrôle d'elle-même et qui, pendant quelques minutes mais aussi parfois plusieurs heures et même plusieurs jours, se transformait en une tornade humaine détruisant tout sur son passage: un visage écarlate où saillaient des veines tendues, des coups d'une violence inouïe. Impossible de prédire le moment où elle allait éclater. Impossible de comprendre ce qui déclenchait ses colères. Il n'y avait donc pour moi jamais un instant de répit. C'est exactement ce que je ressentais, quelques années plus tard, envers la nourriture. Comme bon nombre de personnes avec qui je travaille, j'avais transformé une terreur extérieure, la terreur de mon enfance, en une terreur inté-rieure. Lorsque nous sommes boulimiques, nous recréons en fait les sensations qui depuis notre enfance nous sont fami-lières : perte de contrôle de la situation, terreur, frustration, désespoir. Mais ces sensations se retrouvent confinées dans un domaine bien plus réduit: la nourriture que nous avalons et les kilos que nous accumulons.

Le mois dernier, à San Diego, au cours d'un atelier, une femme déclara qu'elle avait fini par comprendre que la nourriture était pour elle une drogue et qu'elle ne pouvait rien y faire, ce qui, d'une certaine façon, l'avait rassurée: «Cela m'a soulagée de pouvoir enfin admettre que lutter était au-delà de mes forces.»

Je ne crois cependant pas qu'elle ait raison.

Elle a beau croire ce qu'elle affirme — et je comprends que, d'une certaine manière, cette façon de penser puisse constituer pour elle une solution facile et rassurante —, je ne crois pas que cela soit vrai.

J'aurais plutôt tendance à penser que cette femme, à un moment de son passé, s'est retrouvée dans une situation telle qu'elle n'avait plus aucun contrôle sur les circonstances de sa vie — circonstances qui étaient très certainement douloureuses, voire traumatisantes. Peut-être son père était-il alcoolique? Peut-être son frère la soumettait-il à des relations incestueuses? Peut-être, plus simplement, et pour des raisons diverses, n'a-t-elle pas été suffisamment considérée, écoutée ou traitée avec respect et dignité? Mais, n'étant qu'une enfant, elle se trouvait dans une situation de totale impuissance. C'est pourquoi, devenue adulte, elle a désespérément essayé de contrôler ou, mieux, d'éviter ce qu'elle croyait être la cause de ses souffrances. C'est pourquoi, même adulte, ce sentiment d'impuissance lui semble si familier et si normal. Elle ne peut s'empêcher de le recréer. Elle le recrée même dans des situations où elle serait tout à fait en mesure de contrôler son destin — et où elle n'aurait donc aucune raison de subir la souffrance que les décisions, désirs et états d'âme des autres pourraient lui infliger.

Nous avons tous eu le cœur brisé au moins une fois. Il n'y pas une seule d'entre nous qui n'ait souffert de la perte ou de la trahison d'un parent. Mais certaines, quant à elles, ont vu leur cœur systématiquement piétiné de la plus horrible manière. Lorsqu'une enfant a ainsi le cœur brisé, son univers — qui était jusqu'à présent simple et sans soucis — s'écroule. Et rien n'est plus jamais comme avant. Elle passe ensuite le reste de sa vie à essayer de calmer la souffrance, allant même jusqu'à tout simplement prétendre qu'il ne s'est rien passé, espérant ainsi éviter que cela ne se reproduise. Elle cherche désespérément quelqu'un qui saura l'aimer comme elle en aurait tant eu besoin dans son enfance. Et elle passe ainsi sa vie à s'abrutir en mangeant, buvant, fumant, ou à se tuer au travail, afin d'oublier ses souffrances passées et surtout de calmer l'insupportable souffrance d'avoir eu le cœur brisé.

C'est dans cet état que la plupart des femmes viennent à mes ateliers. Elles arrivent confiantes, pleines d'espoir, rassurées. Elles veulent la preuve que ce que j'écris est vrai: Il existe pour elles un moyen de changer leur vie. Elles sont à bout. Elles ont résisté si longtemps en espérant qu'un jour peut-être quelqu'un leur apporterait la clé qui les libérerait, la formule magique qui leur permettrait de devenir celles qu'elles ont toujours rêvé être. Nous parlons d'abord ensemble de leur attitude vis-à-vis de l'intimité, puis nous abordons leur comportement alimentaire. Mais ce n'est que lorsque nous commençons à parler de leur enfance — et que remonte en elles la souffrance qu'elles ont éprouvée alors — qu'elles commencent réellement à se détendre et qu'un soupir de soulagement parcourt la salle. Leur regard devient moins dur, leurs épaules se détendent et la tension — dont j'étais la principale cible — se relâche. Ne serait-ce que pour un instant, elles ont réussi ce qu'elles désiraient au plus profond d'elles-mêmes: se retrouver, retrouver le lieu et le moment où leur cœur fut brisé.

Elles commencent alors à raconter leur enfance. Une première femme se souvient:

«Je suis l'aînée de six enfants. Le père de mon père était alcoolique et sa mère le battait. Mon père quant à lui ne buvait pas, mais était très dur avec nous. S'il ne nous frappait pas souvent, du moins pas que je me souvienne, il n'arrêtait pas de nous crier dessus.

Ma mère avait une santé fragile et devait souvent être hospitalisée. Je dus donc, très jeune, m'occuper de mes frères et sœurs. Dès l'âge de huit ans, je devais préparer le repas dominical pour toute la famille. Ce n'était qu'en ces rares occasions que mon père semblait me remarquer et, parfois, il me faisait un compliment. C'est pourquoi je me mis bientôt à m'occuper de toutes les tâches ménagères: cuisine, lavage, enfants... Pour un simple regard j'aurais été prête à assumer toutes les corvées. J'avais tellement besoin d'être reconnue, appréciée, considérée. Je me sentais si inutile, si abandonnée que je me croyais par tous les moyens obligée de justifier mon droit à l'existence.

Dans la rêverie dirigée[1] que nous avons faite tout à l'heure, j'ai revécu un des moments de terreur de mon enfance. Ma mère allait de nouveau être hospitalisée et j'attendais, avant de partir à l'école, qu'elle me dise au revoir. Je m'étais assise sur son lit. À côté de moi, se trouvait sa valise ouverte. Je voulus jeter un coup d'œil sur ce qu'elle allait emporter — je n'avais alors que onze ou douze ans — et y trouvai des comprimés cousus dans son soutien-gorge, d'autres dans un flacon de parfum vide. J'en trouvai partout. J'allai raconter mes découvertes à mon père. Ma mère, quand elle l'apprit, me fusilla du regard — comme si je l'avais condamnée à mort — et m'ordonna de déguerpir à l'école.

Le soir, en rentrant chez moi, je m'arrêtai dans une église pour y pleurer. Il n'y avait personne. J'étais complètement seule. Je croyais que ma mère allait mourir. Je croyais qu'elle allait nous quitter — qu'en fait elle voulait nous quitter — et je me rendais compte que je ne serais pas capable de supporter un tel cauchemar. J'avais l'impression que mon corps allait exploser en mille morceaux. Mais je savais aussi que je devais rentrer à la maison pour m'occuper de mes frères et sœurs et préparer le souper.

Tandis que je restais là à pleurer, deux familles vinrent répéter une cérémonie de mariage. Elles parlaient et plaisantaient bruyamment — sans me voir — jusqu'à ce que la future mariée me repère au premier rang. Elle se retourna aussitôt vers le prêtre et s'indigna d'une voix stridente: ‹Qui c'est, ça? Qu'est ce qu'elle fiche ici?› Je m'enfuis en courant et continuai de pleurer tout le chemin du retour.

À un moment de la rêverie, vous avez dit: ‹Maintenant, vous êtes adulte. Vous allez trouver cette enfant, la

---

1 • Dans le cadre des ateliers inspirés de mon livre *Breaking free*, les participantes doivent prendre part à une ou plusieurs rêveries dirigées dont le but est de leur permettre de retrouver le souvenir de moments, de sentiments ou d'émotions dont elles n'étaient peut-être pas conscientes.

réconforter et lui dire qu'on l'aime.ʼ Je me suis sentie révoltée. L'adulte que j'étais s'y refusait. Du fond de moi, venait un cri que je pourrais formuler ainsi: ʼJe ne veux plus — je ne peux plus — m'occuper de personne! Je vais craquer!ʼ Je m'occupe des gens autour de moi depuis l'âge de cinq ans. Je n'ai pas trente-cinq ans et j'en suis à mon deuxième mariage. J'ai déjà trois enfants de moins de six ans et je suis ce qu'on appelle une alcoolique en cure. Mais quel combat, depuis dix ans, pour simplement essayer de vivre normalement! Je n'en peux plus! Je voudrais pouvoir être irresponsable, avoir un comportement infantile et, surtout, ne pas avoir, encore une fois, à m'occuper de quelqu'un. Dès que je sens que l'on a besoin de moi, je me mets à manger. Je deviens boulimique. Je me sens alors terriblement égoïste mais manger est pour moi la seule façon de me laisser aller.
J'ai suivi une thérapie pendant deux ans et voilà un an et demi que je suis aux Alcooliques Anonymes. Je commençais à croire que je pourrais me libérer, mais dès que je repense à mon enfance, je retombe dans une crise de boulimie.»

Une enfant trouve des comprimés dans le soutien-gorge de sa mère. Celle-ci, complètement droguée, prisonnière de son cauchemar et obnubilée par sa propre souffrance, est incapable de s'intéresser à son enfant. Son père, dur et violent, reste donc la seule source d'amour vers laquelle elle puisse se tourner. Elle comprend alors qu'on ne lui fera peut-être un compliment — un compliment est la seule forme d'amour qu'elle connaisse — que si elle s'occupe des cinq autres enfants. Devenue adulte, elle se marie à deux reprises et continue de s'enfermer dans ce rôle de bonne à tout faire car c'est la seule façon qu'elle connaisse d'attirer l'attention. Le seul moyen qu'il lui reste de s'occuper d'elle-même est alors de manger. Et seulement de manger. Elle s'accorde en mangeant l'attention qu'on lui a refusée. Mais cela déclenche en elle des crises de culpabilité. En mangeant, elle a l'impression d'être égoïste. Or, on lui a appris très jeune qu'être égoïste, c'est s'interdire l'amour dont elle a si désespérément besoin. Désirant à tout prix être aimée, mais se sentant par ailleurs obligée de justifier et de combler elle-même ses propres besoins, elle exerce un contrôle total sur tous les domaines de sa vie sauf un: la nourriture. Et elle est persuadée que, au fond d'elle-même, quelque chose de terrible la ronge.

J'avais onze ans lorsque ma mère me fit venir dans sa chambre pour m'annoncer qu'elle allait demander le divorce. Je savais que mes parents ne s'entendaient pas, et je priais secrètement chaque nuit pour qu'ils ne se séparent pas. Agenouillée au pied de mon lit, je récitais: «Mon Dieu, bénissez maman, bénissez papa et bénissez Howard. Mais, surtout, faites qu'ils ne divorcent pas.» Je n'avais aucune idée de ce qui allait se passer ou de ce qu'on allait faire de moi. Je me voyais déjà devant les juges, ma mère d'un côté , mon père de l'autre. J'imaginais qu'on allait me demander de choisir celui que je préférais, celui avec lequel je voulais vivre. Je ne voulais pas avoir à faire ce choix. Je me disais que si j'allais avec mon père, ma mère ne voudrait plus me voir. Mais que si j'allais avec ma mère, mon père, lui, continuerait de m'aimer quand même. J'aurais sûrement préféré aller vivre avec mon père, parce qu'il était moins dur et parce que, avec lui, je me sentais aimée, mais — par-dessus tout — j'avais peur de perdre ma mère.

Lorsqu'elle m'annonça son intention de divorcer, je me mis à pleurer.

«Que vais-je faire? Où vais-je aller?

— Tu ne penses qu'à toi. Ne penses-tu donc jamais à ce que peuvent ressentir les autres?

Honteuse, j'arrêtai immédiatement de pleurer.

— Pardon, maman, ce n'était pas ce que je voulais dire.

— Va dans ta chambre», m'ordonna-t-elle.

Je m'exécutai. C'était un jeudi soir, j'allai regarder *Ma sorcière bien-aimée*. Mais, dès que j'entendis la clé tourner dans la serrure, je me précipitai vers la porte et déboulai dans les jambes de mon père qui ôtait son manteau:

«Maman a dit que vous alliez divorcer!

— Nous allons quoi? fit-il en riant.

— Divorcer. Pourquoi ris-tu?»

Sans plus ajouter un mot, il monta les escaliers et se dirigea vers leur chambre.

Ma mère ne parla plus de divorce. Ni le lendemain, ni jamais. Mon père non plus. Quant à moi, je n'osais plus rien dire.

Lorsque ma mère se mettait en colère contre moi, elle me traitait d'égoïste, ce qui signifiait — pour elle — que je devais d'abord penser à elle et à mon frère avant de penser à moi. Être égoïste signifiait donc être méchante. «C'est parce que je suis égoïste que ma mère ne m'aime pas», pensais-je. Je grandissais donc ainsi avec la croyance que si l'on ne m'aimait pas c'était parce que je pensais trop à moi.

Manger en cachette restait donc pour moi la seule façon de me faire plaisir sans avoir de comptes à rendre à personne. C'est ainsi que je me mis à me gaver de biscuits et autres sucreries — sans que personne ne le sache.

Un après-midi, alors que je passais devant la chambre de mes parents, j'entendis mon frère pleurnicher. Il se plaignait à mon père:

«J'avais acheté deux paquets de guimauves avec mon argent de poche, un pour Geneen et un pour moi, et ils ont disparu. C'est toi qui les as mangés, dis?

— C'est possible, Howard, répondit mon père, et je t'en demande pardon. Je ne savais pas qu'ils étaient à toi.»

Je me réfugiai, sur la pointe des pieds, dans ma chambre et m'y enfermai pour y pleurer. Il me fallut près de vingt ans pour avouer à mon frère que c'était moi, et non notre père, qui les avais tous les deux mangés.

J'avais honte d'être égoïste et de tant manger. J'avais honte de tant de choses mais, par-dessus tout, j'avais honte de moi.

J'appris très tôt à parfaitement me contrôler dans ma relation aux autres. Mais ce n'était que pour mieux me laisser aller avec la nourriture — ce qui est un comportement commun à la plupart des boulimiques. Nous nous permettons avec la nourriture tout ce que nous croyons être interdit dans la vie — avec les autres, dans notre travail, en amour. Nous prenons pour nous la plus grosse, la meilleure part. Nous en prenons plus que nous n'en avons besoin. Nous nous y ruinons, sans nous soucier des autres le moins du monde car, pour ce qui est du reste, nous sommes en permanence au régime — au régime sans sentiments car nous avons très tôt compris que, pour être aimées, il fallait nous dissimuler et, surtout, ne rien réclamer.

C'est ainsi que nous commençons à considérer l'amour comme quelque chose d'insaisissable, quelque chose que nous ne pouvons obtenir qu'en nous dissimulant. On nous apprend très jeunes à nous fondre dans le moule de l'enfant parfaite — celle qui reçoit tout l'amour dont nous, pauvres créatures imparfaites, ne sommes pas dignes. Lorsque nous mangeons, nous nous sentons à la fois victorieuses et désespérées. Victorieuses, parce que c'est souvent pour nous la seule façon d'être nous-mêmes. Et désespérées parce que être nous-mêmes semble nous éloigner encore un peu plus de ce que nous désirons par-dessus tout: être aimées. Nous pratiquons l'art — et y sommes passées maîtres — de ne pas être nous-mêmes. Sous ces apparences se cache la terrible croyance que celle que nous sommes vraiment n'est pas digne d'amour.

Chaque fois que nous nous abandonnons à la boulimie, nous nous enfermons un peu plus dans la croyance que nous sommes les seules à pouvoir nous satisfaire et que, si nous ne contrôlons pas notre comportement alimentaire, nous serons toujours affamées. Simultanément, et justement parce que c'est une façon de nous satisfaire, la boulimie déclenche en nous un vieux complexe de culpabilité: Il est mal d'avoir des désirs et il est pire encore de les assouvir. La boulimie est devenue pour nous le symbole de tous nos problèmes: Nous avons des besoins, des envies, et nous avons — en outre — le culot de nous accorder le droit de les satisfaire. À chaque crise de boulimie, nous replongeons dans le désespoir, car nous nous apercevons qu'en cherchant à satisfaire nos besoins, nous nous interdisons d'être jamais aimées.

Dans ce sens, nous lançons, à travers la boulimie, un cri de rage. C'est notre façon de hurler:

«Vous ne pourrez pas m'abattre! Même si je suis vulnérable, même si j'ai besoin de votre amour, et même si je
suis obligée de me plier à votre volonté pour vous faire
plaisir, il y a une partie de mon être qui reste à tout jamais
intouchable, inaltérable! Cette partie ne sera jamais à
vendre et vous ne pourrez jamais l'acheter. Elle sait
qu'elle est digne d'être aimée, qu'elle a le droit au plaisir.
C'est cette partie de moi qui mange!»
Et nous avons raison.

Lorsque, enfants, notre milieu familial nous fait comprendre — par la force — que, si nous exprimons des sentiments, des émotions, nous ne sommes pas dignes d'être
aimées, nous apprenons vite à nous adapter et à nous montrer
différentes de ce que nous sommes vraiment. Cependant, au
fond de nous, une voix hurlera toujours son refus du compromis. Et parce que nous refusons de l'écouter, elle utilise la
nourriture pour nous atteindre. Vouloir ainsi se contrôler nous
fait perdre contrôle: que ce soit sur la nourriture, le travail, le
sexe ou la drogue. Nous voudrions même contrôler ce que
nous ne pouvons qu'accepter: l'amour.

Il y a six mois, je proposai à Matt d'aller faire une
escapade en amoureux dans une petite auberge. Trois jours
avant le départ, Matt m'annonça qu'un de ses meilleurs amis lui
avait téléphoné pour l'inviter à son quarantième anniversaire.
«J'aimerais tellement y aller, me dit Matt.
— Bien sûr. Quand est-ce?
— La dernière soirée de notre escapade. Il faudrait que je parte
tôt le matin.»
Mon corps se raidit. Je lui annonçai qu'il n'en était pas
question. En sanglots, j'essayai de lui expliquer que j'en avais
assez qu'il change toujours nos plans, que ce voyage devait
être pour nous une occasion particulière de nous retrouver et
que je ne comprenais vraiment pas comment il pouvait vouloir
l'écourter pour aller voir un ami qu'il n'avait pas vu depuis plus
d'un an.

Son corps à son tour se raidit. Il me répliqua qu'il ne comprenait pas ma réaction. Il m'expliqua que, s'il changeait toujours ses plans au dernier moment, c'était parce qu'il aimait être flexible et qu'il ne voyait d'ailleurs pas où était le problème. Il m'accusa aussi de toujours vouloir tout régenter, sous peine d'entrer dans des colères monstres. Il me dit enfin qu'il aimerait bien savoir, dans ces conditions, quel choix je lui laissais.

C'était l'un de nos principaux sujets de conflit. Chaque fois que je voulais réaliser des projets avec lui, Matt décidait systématiquement — et au dernier moment — de changer tous nos plans. Frustrée, abandonnée, j'éclatais de colère.

Quand j'avais seize ans et que je préparais mon permis de conduire, ma mère décida de me donner des leçons. Nous devions nous donner rendez-vous à la maison, le soir après mes cours. Mais elle ne vint jamais. Je l'attendais chaque fois une bonne partie de la soirée pour finalement l'entendre me raconter au téléphone qu'elle ne pouvait pas — une fois de plus — se libérer.

Cette même année, mon petit ami, Sheldon, mourut d'un cancer. Je passais mes journées à écrire son nom partout — sur mes bras, sur mes jambes, sur mes devoirs. J'en pleurais jour et nuit. M. Benson, mon professeur de dactylo, avait même déposé une boîte de mouchoirs en papier sur mon bureau. Mon amie Carolyn et ses parents — pour me changer les idées — m'invitèrent à les accompagner en croisière durant les congés d'hiver. Je mourais d'envie d'y aller. Mais ma mère, qui partait en Floride, m'invita à l'accompagner. Elle me dit aussi que, quel que soit mon choix — croisière ou Floride —, elle l'accepterait.

Je me dis alors que si j'acceptais de renoncer à la croisière pour accompagner ma mère, elle comprendrait sûrement à quel point je l'aimais — à quel point je voulais qu'elle s'occupe de moi. Je m'étais inconsciemment convaincue que, si je me rapprochais d'elle, elle finirait par se rapprocher de moi.

«Si je renonce à ce que je veux faire, elle doit aussi renoncer à ce qu'elle veut faire.»

Le contrôle.

Derrière mon «Si je renonce à ce que je veux faire...» se cache en fait la croyance que je ne peux pas — que je n'ai pas le droit — de faire ce que je veux. S'intéresser à soi-même est mal. Avoir des envies est mal. Les satisfaire est pire. Quand on aime vraiment, on pense d'abord à l'autre. Quand on aime vraiment, on prend toujours la plus petite part du gâteau, ce qui signifie en fait que — si nous devons jamais un jour être aimées — cet amour ne peut nous venir que de quelqu'un d'autre. Et c'est parce que nous nous mettons ainsi dans une situation de dépendance vis-à-vis des autres que nous ressentons le besoin d'avoir un contrôle sur ce qu'ils font ou disent. L'image qu'ils se font de nous devient alors l'un de nos principaux soucis. Nous croyons qu'à travers elle nous obtiendrons d'eux ce que nous désirons — et nous désirons tant êtres aimées. Nous voudrions qu'ils nous aiment selon l'idée que nous nous sommes faite de l'amour. Nous voudrions qu'ils nous aiment comme nous nous serions aimées nous-mêmes si on nous en avait donné le droit. Nous voudrions qu'ils se conforment en tout à notre conception de l'amour afin que nous nous sentions enfin aimées. Nous voudrions en fait qu'ils nous aiment comme nos parents n'ont pas su nous aimer.

Si nous nous croyons indignes — et donc sommes également incapables — de nous plaire, de nous respecter, de nous aimer nous-mêmes, nous essaierons alors de trouver quelqu'un qui puisse le faire pour nous. Et ce, même si, pour arriver à nos fins, nous devons nous humilier. Nous ne faisons dès lors plus rien sans penser à ce que nous pourrons en tirer. Nous essayons systématiquement de manipuler, de rendre complices, de contrôler les autres afin qu'ils nous donnent ce que nous nous croyons incapables de nous accorder nous-mêmes. Nous devenons ce que l'on appelle communément des manipulatrices.

Matt ne jouait pas le jeu. Mais il me fallut de nombreuses disputes pour découvrir enfin ce qu'était réellement ce jeu.

Pendant l'année et demie qui suivit notre première rencontre, je ne projetai pas une seule fois de passer la soirée sans lui. J'aurais voulu qu'il fît de même. Parce que je ne voulais pas être seule. Parce que la seule façon que je connaissais d'obtenir ce que je voulais était d'y renoncer et d'espérer ainsi que quelqu'un d'autre me le donnât. Et ce que je voulais, c'était avoir l'assurance définitive et absolue — une assurance aussi inébranlable qu'un séquoia, avec son tronc énorme et ses branches qui brassent les nuages — que:

«Toi, Geneen, tu as le droit légitime, comme tout être humain, d'avoir des besoins, des envies, de vouloir les exprimer et les satisfaire. Tu n'auras désormais plus jamais à avoir honte. Tu es libre maintenant de faire ce que tu veux.»

Pendant de nombreuses années, j'ai cru que seul être mince me donnerait un jour ce droit. Je pensais l'avoir acquis lorsque je publiai mes livres. Tel n'était pas le cas. Je crus ensuite que ce que les choses ne pouvaient m'accorder, une personne, elle, le pourrait. C'est alors que je tombai amoureuse de Matt, croyant qu'il me sauverait de moi-même, de la haine, de l'angoisse que j'éprouvais envers ce que j'étais, mais surtout, de mon angoisse vis-à-vis de celle que j'avais peur de devenir.

Mais Matt ne joua pas le jeu. Il ne put pas me sauver de moi-même, de cette habitude que j'avais de me punir pour avoir demandé ce que je voulais et de mon refus de prendre soin de moi-même.

J'ai reçu hier cette lettre :

« J'ai dix-neuf ans et je suis étudiante. Je me suis toujours protégée de l'intimité — des émotions et des sentiments — parce que je me croyais grosse. Et je fus en effet grosse pendant une bonne partie de ma scolarité.

Mais, l'été dernier, je perdis vingt kilos et retournai au collège prête à commencer une nouvelle vie. Je tombai dans les bras d'un vieil ami dès le soir de la rentrée.

C'était super. Je l'aimais. Je me sentais bien avec lui. Pourtant, je finis par rompre brusquement, sans vraiment savoir pourquoi. Je le revis deux semaines plus tard. La soirée fut formidable mais, au moment de faire l'amour, je ne pus franchir le pas.

Je ne sais pas pourquoi je n'arrivais pas à me laisser aller.(C'est moi qui souligne). Je me mis aussitôt à reprendre du poids alors que ce je désirais le plus au monde était l'amour et l'intimité de ce garçon. Un amour et une intimité que je m'interdisais pourtant. Peut-être, après tous ces problèmes de poids, n'en étais-je plus capable?

Je pris en trois mois plus de quinze kilos.

Ma solitude m'obsède. Je désire tant l'amour et l'intimité de ce garçon, mais plus je deviens grosse et laide et moins je m'en sens digne. Je me protège tant. Geneen, peux-tu m'aider?»

Puis-je l'aider? Oui, mais seulement si elle est prête à chercher la raison pour laquelle elle est si terrifiée par l'intimité avec ce garçon. Car ce n'est pas son poids qui l'empêche d'être avec un homme, mais la raison pour laquelle elle l'utilise comme moyen de défense. Être grosse n'est qu'une excuse pour ne pas affronter sa peur de l'intimité. Il lui est assurément plus facile de rejeter la faute sur son poids que d'être mince et sans défense vis-à-vis de la personne qui recherche son intimité.

La question est donc: Pourquoi a-t-elle peur d'être avec un homme?

Quelle expérience a-t-elle eue, enfant, de l'amour ou de son absence? Quel souvenir la terrorise à ce point?

Si nous sommes ainsi terrorisées par l'intimité, c'est que les souvenirs que nous gardons de l'intimité sont effrayants et non parce que nous sommes incapables d'aimer. Si nous voulons jamais être capables d'aimer vraiment — que ce soit nous-mêmes ou quelqu'un d'autre — nous devons tout d'abord découvrir ce qui nous effraie à un si haut point dans la relation d'intimité. Nous devons retourner en arrière, revivre et même, parfois — parce que nous les avons occultés dès leur apparition — simplement vivre la colère, la souffrance, la peur, la trahison, la perte — tous ces sentiments et toutes ces émotions que nous avons ressentis étant enfants dans notre famille. Mais, cette fois, nous ne sommes plus seules. Un psychologue, des amis, un groupe de personnes confrontées aux mêmes problèmes, sont là pour nous donner le soutien, le réconfort et l'amour que réclame une telle situation alors que nous n'avions reçu, enfants, que mépris, punition et rejet. C'est ainsi, et ainsi seulement, que nous pouvons guérir et apprendre à vivre pleinement.

Jamais un réfrigérateur ne pourra briser mon cœur.

Matt si.

C'est du moins ce que j'ai cru. Je me suis méfiée de lui comme de quelqu'un qui voulait me briser en deux et dont je devais tout faire pour me protéger. Comme si — une fois de plus — mon rôle était de l'empêcher de dépasser ses défenses afin d'éviter qu'il ne menace les miennes. Je devais, une fois de plus, empêcher les murs de s'écrouler.

Enfants, nous voudrions croire que nous pouvons contrôler la souffrance, parce que la vérité — que nous sommes impuissantes à empêcher les murs de s'écrouler — est trop effrayante, trop insupportable. Si nous devions regarder la vérité en face, nous serions incapables de marcher, de parler, de survivre. Nous risquerions de devenir folles. Nous faisons alors comme si de rien n'était. Nous préparons le repas dominical, que nous servons au lit à notre mère sur un plateau d'osier blanc. Et nous nous donnons ainsi l'illusion de diriger un monde sur lequel nous n'avons en fait aucun pouvoir.

Ce qui est une défense pour l'enfant se révèle par la suite un obstacle pour d'adulte. Si nous persistons à vouloir croire, comme je l'ai moi-même fait, que nous pouvons contrôler notre vie de A à Z, nous nous enfermons, à coup sûr, dans un monde de frustration, de déception et de confusion. Nous nous interdisons de rencontrer le véritable amour de notre vie. En croyant ainsi posséder un pouvoir que nous n'avons jamais eu — et que nous n'aurons jamais —, nous nous privons de ce qui nous a été refusé enfants mais que nous avons acquis en devenant adultes: la chance de prendre soin de nous avec amour et attention, la chance de nous rendre heureuses. Nous devons avant toute chose nous occuper de nous-mêmes.

Pendant toute mon adolescence — et en fait jusqu'à trente ans —, j'ai rêvé d'un homme qui me prendrait dans ses bras et qui saurait me réconforter et me guérir.

Cela ne se produisit pas, bien sûr. En fait, ce fut même exactement le contraire. Si l'amour de Matt, rayonnant, faisait étinceler mes qualités, il jetait aussi une lumière crue sur mes défauts.

L'amour que nous recevons enfin nous fait prendre conscience du vide affectif qu'avait été jusque-là notre vie. Jamais l'amour de quelqu'un, si grand soit-il, ni même l'amour de dizaines de milliers de personnes, ne pourrait nous faire oublier la douleur des trahisons du passé. De même, jamais la boulimie ne pourra compenser tout ce dont on nous a privées dans le passé ou ce dont nous croyons que nous serons privées dans le futur. Jamais elle n'effacera toutes les fois où nous nous sommes accusées: «Tu ne le mérites pas, tu es trop grosse et trop moche pour ça.» Le seul moyen de ne pas vivre ainsi éternellement ces souffrances du passé est d'accepter de les ressentir véritablement — une bonne fois pour toutes — jusqu'à ce qu'elles soient totalement épuisées.

Nous ne sommes plus — et ne serons jamais plus — des enfants et rien ni personne ne pourra plus nous faire souffrir ainsi. Nous n'avons plus à subir la souffrance sans réagir comme l'enfant sans défense qui dépendait totalement de ceux qui l'entouraient pour être protégée, nourrie et aimée.

Lorsque nous laissons notre corps ou notre poids empiéter sur notre intimité, lorsque nous nous sentons trop grosses pour que quelqu'un veuille faire l'amour avec nous, lorsque nous avons peur d'être vues nues, nous cherchons en fait à nous protéger de toute douleur potentielle — une fois de plus. Mais la souffrance que nous ressentons n'existe pas dans le présent, ni dans le futur. Nous cherchons en fait à fuir une souffrance du passé qui n'a de réalité que dans notre esprit. Nous risquons ainsi de passer toute notre vie à fuir le passé sans jamais pouvoir profiter du présent.

Matt a finalement accepté de ranger le bureau de Lou Ann. Nous avons commencé par ôter des murs les éventails chinois. Puis nous avons rangé la pendule, le stylo et les boucles d'oreilles qui traînaient toujours dans la coupe en forme de cœur. Matt a voulu mettre la pendule dans son bureau, à côté de la porte. Nous avons ensuite jeté les crayons à la poubelle et emballé ses boucles d'oreilles dans une boite pour les donner à sa mère. Lorsque nous ouvrîmes l'agenda pour en ôter le signet en forme d'avion, celui-ci marquait le 18 avril — le jour du décès de Lou Ann. Il y avait là la liste de ce qu'elle devait faire cette journée-là: «Appeler Dougie, être positive, respirer lentement l'oxygène.» Les larmes de Matt — en s'écrasant sur la page — effacèrent le mot *oxygène*. Il me demanda alors de le prendre dans mes bras quelques instants. À peine mes bras se refermaient-ils sur lui qu'il éclata en sanglots. Lorsque cela alla mieux, nous reprîmes le rangement, jetant, classant tout ce qui avait été abandonné: le bureau, les étagères, les cartes. En un peu plus de trois heures, tout fut emballé dans une malle et trois cartons. «Trouvons un placard où ranger tout cela, dit Matt, je ne veux pas que Lou Ann soit reléguée dans le garage.» Trois mois plus tard, nous transportâmes — sur son initiative — la malle et les cartons dans le garage.

Quant à moi, c'est dans ma chambre d'enfant que je dois mettre de l'ordre. Avec chaque sentiment que j'effleure, chaque souvenir que je pleure, avec chacune de ces peurs, chacune de ces trahisons que je redécouvre... les murs s'effondrent...

Et je suis enfin libre!

3

Tenir à la souffrance

Lorsque je rencontrai Matt, je savais que sa compagne venait de mourir d'un cancer. Je le savais parce qu'il l'avait mentionné dans sa présentation de la veille. Je savais donc aussi qu'une relation avec lui ne serait pas facile. Mais je ne recherchais pas la facilité.

J'adore les situations dramatiques — au point même d'en créer. Ce n'est que dans le chaos que je me sens à l'aise. Je raffole de la démesure.

Je suis toujours scandalisée, jamais simplement concernée.

Je suis toujours aux anges, jamais simplement contente.

Je suis toujours au désespoir, jamais simplement malheureuse.

Et j'ai élevé la souffrance à la dignité d'art de vivre.

Être amoureuse d'un homme dont la compagne venait de mourir d'un cancer était terriblement pathétique, un vrai mélo, comme dans *Tyger, Tyger* du Dr Kildare.

Lorsque j'étais adolescente, je vis un film tiré de ce livre du Dr Kildare avec — dans les rôles principaux — Yvette Mimieux et Richard Chamberlain. Yvette Mimieux y jouait une blonde surfeuse californienne atteinte d'une terrible et mortelle épilepsie, et Richard Chamberlain celui du jeune et beau médecin qui, follement amoureux d'elle, essaie désespérément de la sauver. Malgré leur amour, elle continuait à vouloir risquer sa vie sur les vagues et mourait finalement d'une attaque — seule sur la plage — tandis qu'un récitant déclamait *Tyger, Tyger* de William Blake.

Ce cocktail explosif de passion et de souffrance m'enivra. Je décidai donc de devenir une seconde Yvette Mimieux. J'aurais ses cheveux, sa silhouette, son élégance. Je serais si belle que je ne pourrais jamais plus être seule. Je serais enviée par les filles et désirée par les garçons. Le téléphone n'arrêterait pas de sonner. Mon sourire serait étincelant et mon rire éclatant. Je dédaignerais les garçons de ma classe — ceux-là mêmes qui me traitaient de boulotte — pour des hommes de la classe de Richard Chamberlain qui, amoureux fous de moi, se disputeraient mes faveurs. Et si ce n'était Richard Chamberlain lui-même, sans aucun doute serait-ce mon béguin du moment: Mike Howard, le guichetier du cinéma *Squire.*

Yvette Mimieux était une beauté sculpturale à la chevelure de feu. Je n'étais quant à moi qu'une adolescente potelée aux cheveux châtain clair. Je m'aspergeai donc les cheveux de Sun-In afin de les éclaircir, sans me douter que le peroxyde, sur des cheveux châtains, donnerait un splendide vert fluorescent. Je m'astreignis aussi à un régime pruneaux-boulettes, rêvant ainsi d'atteindre des mensurations idéales. J'épinglai également sur le réfrigérateur une photo d'Yvette Mimieux, de manière à ce que, chaque fois que je me laissais tenter par la crème glacée, je puisse voir ses jambes immenses. Je voulais ces jambes. Et là se trouvait le plus grand obstacle à mon rêve. Sur mes 1 m 55, mes jambes ne représentaient qu'une fraction négligeable. Elles n'étaient pas sans charme — mon frère m'avait surnommée «Cuisses d'enfer» —, mais elles étaient plutôt courtes.

Après avoir passé deux semaines à me lamenter sur mes cheveux et mes jambes, je décidai que mon attitude était superficielle et déplacée. Qu'avais-je besoin de cheveux blonds et de jambes élancées pour m'identifier à Yvette Mimieux? Ce qui me manquait vraiment était ses crises d'épilepsie. Souffrir d'une terrible et mortelle épilepsie! Là était la formule magique qui avait fait apparaître le Dr Kildare dans sa vie! Là était ce qui avait rendu leur amour si intense! Là était enfin ce qui lui avait donné la chance d'avoir une mort si pathétiquement romantique: ses yeux se révulsant subitement tandis que, indomptable, elle chevauchait les vagues, le Dr Kildare arrivant un instant trop tard et, tandis que son corps sans vie était ramené par les vagues, les larmes étincelant sur son visage angoissé et douloureux. Je voulais que l'on souffre pour moi comme il avait souffert pour elle!

Je me mis donc à pratiquer les crises d'épilepsie: révulser les yeux et m'écrouler terrassée sur le sol... sans me fracasser le crâne! J'inventai également le scénario du drame. J'annonçai tout d'abord à mes amies Bunny et Claudia que l'on m'avait diagnostiqué des troubles épileptiques. Puis je demandai à Bunny de venir avec moi voir *Khartoum* au cinéma *Squire*. Lorsque Mike nous vit, il vint discuter un instant avec nous. Et là, en plein milieu de la conversation, je révulsai mes yeux et me laissai tomber avec grâce. Il me prit dans ses bras et m'allongea sur une banquette. «On vient juste de découvrir qu'elle souffre d'une terrible et mortelle épilepsie», chuchota Bunny à l'oreille de Mike. Il s'empara aussitôt d'un bout de carton traînant par terre et me le fourra dans la bouche de peur que j'avale ma langue. Malheureusement pour moi, à la suite de mes crises répétées, la mère de Mike finit par lui interdire de me revoir.

Plus jeunes, mes amies et moi-même nous réunissions le soir pour éprouver nos petits amis par des coups de téléphone bidon. Susan appelait le mien:

«As-tu vu Geneen ce soir? Je suis si inquiète, elle était si énervée lorsqu'elle m'a quittée. J'ai peur qu'il ne lui soit arrivé quelque chose. Peux-tu m'appeler si tu as de ses nouvelles?»

Nous espérions ainsi que la perspective de notre mort imminente réveillerait leur ardeur amoureuse et nous ne doutions pas alors que, confrontés à l'idée de notre perte, ils comprennent enfin à quel point ils nous aimaient.

Pendant les six mois que je passai à sillonner le pays pour y diriger les ateliers inspirés par mon livre *Breaking free*, je demandai à mon ami Lew — la veille de mes départs — de déjeuner avec moi. Nous allions au *Davenport Café*, d'où la vue était admirable. L'hiver, nous apercevions le souffle des baleines grises sur l'océan. Au printemps, nous énumérions les multiples variétés de fleurs sauvages qui poussaient à flanc de colline et nous nous émerveillions des lys qui occupaient — en cercle parfait — les plate-bandes du café. Chaque fois, alors que Lew finissait son gâteau, je lui demandais:

«Je pars demain pour un atelier. Si l'avion s'écrasait et que tu ne devais plus jamais me revoir, qu'aurais-tu souhaité me dire aujourd'hui?

La première fois que je lui posai cette question, Lew me regarda stupéfait:

— Mais, Geneen, je ne peux pas imaginer une telle chose!

— Tout est possible, insistai-je, on n'est jamais à l'abri d'une catastrophe. Il faut toujours vivre comme si on allait mourir le lendemain et ne jamais rien laisser qu'on puisse regretter. N'aurais-tu pas à m'avouer quelque chose que tu n'aurais jamais osé me révéler?

— Je t'aime, répondit-il. Notre intimité représente tant pour moi. Je n'avais jamais eu une amie comme toi auparavant. Tu t'es intéressée à moi et tu ne m'as jamais laissé tomber. C'est tellement important de pouvoir vivre une telle chose.

Ses yeux pers et gris étaient mouillés de larmes. Il me pressa la main et me dit:

— Tu me manquerais tant.

Imaginant l'avion en flammes et ma famille fouillant la carcasse fumante pour trouver une relique — mes escarpins dorés, mes lunettes en forme de cœur — je me mis aussi à pleurer.

— Je ne veux pas mourir», murmurai-je dans un sanglot.

La seconde fois que nous sommes allés au *Davenport Café*, tout en picorant les copeaux de chocolat de son gâteau, je lui demandai à nouveau s'il avait quelque chose à me dire — «sachant que je risquais de mourir demain».

«Oui, trois choses, répondit-il. Premièrement: Pourrais-tu me laisser ta collection de disques? Deuxièmement: Où que tu ailles après ta mort, donnons-nous rendez-vous dans trente ans. Tu me reconnaîtras: Je porterai une rose rouge au revers de ma veste. Et, troisièmement: Tu ne peux pas continuer à vivre ainsi, Geneen! Tu ne vas pas mourir demain! Tu es trop excessive, trop tragique! À vouloir ainsi espionner chaque pensée, chaque sentiment, tu t'interdis — et tu interdis aux autres — de pouvoir profiter de ta présence.»

Mais j'avais besoin de vivre ainsi — comme si j'allais mourir demain. Ce cocktail explosif de passion et de souffrance m'enivrait et calmait ma douleur.

Dix mois après que j'eus rencontré Matt, je me mis à souffrir de plaques sur le côté droit. Les démangeaisons en étaient insupportables. J'allai voir un médecin. Celui-ci m'annonça que je souffrais d'un zona. Il m'expliqua que la cause en était un virus qui restait la plupart du temps latent jusqu'à ce qu'une cause extérieure — le plus souvent le stress — ne déclenche une crise. Celles-ci pouvaient être répétées et durer plusieurs mois.

J'avais l'impression que l'on me plantait des couteaux dans les os. Rendue folle par la douleur, je me jetais contre les murs. J'étais prête à tout pour arrêter la souffrance. Être malade me rendait folle. Je ne supportais pas de ne plus pouvoir écrire, danser, sortir, travailler à mes ateliers. Mais je me dis aussi que si j'étais malade — comme Lou Ann — peut-être Matt m'aimerait-il alors comme il l'avait aimée: avec désespoir et dévotion. Peut-être la menace de ma disparition imminente déchaînerait-elle sa passion?

Lorsque, sur un ton rêveur, j'évoquai avec Sara l'amour pathétique qui avait uni Matt et Lou Ann, celle-ci me répondit:

«Mais elle est morte, Geneen! Elle est morte et tu es vivante! Son amour pour elle n'était que tristesse et malheur. Veux-tu vraiment que ce soit ce qu'il ressente pour toi? Ne préférerais-tu pas que, pour lui, t'aimer soit synonyme de joie et de bonheur?»

Assurément, mais...

Cela voudrait-il dire qu'il m'aimerait moins? ou qu'il ferait moins attention à moi et que nous serions comme tous ces couples où l'on finit petit à petit par détester tous ces détails — la courbe de sa nuque, ses dents — sur lesquels on s'extasiait dans les premiers instants?

Je ne voulais pas que nous devenions un de ces couples dînant au restaurant dans un silence de marbre.

«Je préférerais être malade.

— Tu prétends que tu préférerais une mort pathétique plutôt que de vivre les conflits, les froids, les banalités qui sont le lot de la vie quotidienne de tous les couples?»

Non, ce n'était pas cela. Mais je préférais tout — même mourir — plutôt que de vivre comme mes parents.

Ma mère buvait. Du whisky sur des glaçons avec un zeste de citron. Mon père ne disait rien. Elle prenait toutes sortes de comprimés: amphétamines pour maigrir, barbituriques pour dormir. Mon père ne disait toujours rien. Elle hurlait. Contre lui, contre moi, contre le chien. Mon père ne disait jamais rien. Elle rentrait à quatre heures du matin, ses vêtements défaits, barbouillée de rouge à lèvres. Pas un mot ne sortait de la bouche de mon père. Même lorsque, un soir de fête, elle lui jeta au visage un plat de farce. Même lorsque, au cours d'une dispute avec mon frère, elle lui lança un couteau à travers la pièce. Lorsqu'elle était en colère, elle était capable de tout, même de me traîner par les cheveux à travers l'appartement. Malgré tout cela, mon père restait de marbre. Le dimanche, lorsque nous allions déjeuner en famille au *Steak House* sur Bleecker Street, le repas se déroulait traditionnellement dans un silence de mort.

Ma mère se mourait d'amour et était prête à tout détruire sur son passage. Mon père ne bougeait pas.

La vie, telle que je la découvris enfant, oscillait entre des crises furieuses de frustration déchaînée et de longues périodes d'un calme absolu tout aussi inquiétant. Ou bien ma mère était à la maison — et c'était le drame —, ou bien personne n'était là. Il ne semblait donc y avoir que deux possibilités dans la vie: vivre l'enfer ou être abandonnée.

Rejetant l'enfer de mon enfance, je choisis donc de vivre selon le seul autre modèle que je connaissais: celui de ma mère, prête à tout pour attirer l'attention de celui qui partageait ma vie.

Et cela, même si celui-ci me donnait déjà toute l'attention dont je pouvais rêver.

Lors d'un atelier, je demandai aux participantes, en guise d'introduction, de se définir par quelques mots clés qu'elles inscriraient sur leur badge. Dans un coin, je leur demandai de qualifier la vie telle qu'elles l'imaginaient sans problème de poids. Nombreuses furent celles qui répondirent: «Terriblement ennuyeuse». Lorsque je leur demandai pourquoi, elles répondirent que, sans cette obsession, sans cette tension permanente, elles ne sauraient quoi faire de leurs journées et que leur vie serait assurément morne et plate.

Certaines expliquaient:

«Je suis parfois dans un état de frénésie incontrôlable. Il me faut absolument trouver dans l'instant quelque chose à manger — vous savez toutes ce que je veux dire —, j'ai tellement peur de ne plus rien avoir à manger que cela devient pour moi une question de vie ou de mort de trouver, dans les cinq minutes, un morceau de chocolat à ingurgiter. Mais c'est aussi une telle excitation! C'en est presque enivrant! C'est irrésistible! J'aime cette excitation. Je me sens déborder d'énergie. Je crois bien que ma vie, sans ces alternances d'excitation et de dépression, serait certainement plus facile — mais aussi terriblement ennuyeuse.»

D'autres racontaient:

«Prendre et perdre du poids sans arrêt, toujours être au régime, c'est un peu comme vivre sa vie sur des montagnes russes. Certains jours, je me sens surexcitée; d'autres jours, la vie est pour moi un enfer. Du moins, je ressens quelque chose. Je n'ose imaginer ce que serait ma vie si je n'avais la nourriture pour occuper mes journées.»

Une boulimique ne connaît jamais l'ennui. Pour elle, il n'y a jamais de moyenne. Soit elle se déteste parce qu'elle se trouve trop grosse, délirant sur ce que pourrait être sa vie si elle était mince, soit — oubliant tout — elle se goinfre à en éclater. Incohérence, démesure, dramatisation sont les outils avec lesquels elle bâtit sa vie. Pour elle, la souffrance est un art de vivre.

Tout se passe comme si, en mangeant, nous recréions en nous la relation parent-enfant que nous avons vécue. On nous a tellement répété — ou fait comprendre —, lorsque nous étions enfants, que nous étions méchantes et que nous méritions notre malheur que, devenues adultes, nous continuons à vouloir nous punir en nous goinfrant jusqu'à en être incapables de faire un geste. Il est impossible pour quelqu'un qui n'est pas boulimique d'imaginer que l'on puisse manger à ce point. Comment pouvons-nous faire une telle chose? Et pourquoi? Assurément pas pour le plaisir de manger, car manger n'est pour nous qu'un moyen de nous infliger la souffrance que nous croyons mériter.

La boulimie est une manifestation actualisée et dramatisée de la souffrance ou de la violence que nous avons subie dans notre famille étant enfants. Notre relation à la nourriture est un univers que nous avons bâti sur ce nous croyons devoir être notre relation avec les autres et avec nous-mêmes. La boulimie crée un univers artificiel où nous pouvons revivre éternellement les souffrances de notre enfance. Le degré de violence, de masochisme que nous nous infligeons est directement proportionnel au degré de violence et de sadisme que l'on nous a infligé. Nous ne faisons que répéter ce que l'on nous a appris.

Extrait d'un journal:
«Le 10 octobre 1978.

Aujourd'hui, j'ai mangé:

1/3 de paquet de biscuits	100 calories
1 salade assaisonnée	300 calories
60 grammes de *chips* au caroube	200 calories
1 biscuit	75 calories
200 grammes de müesli	300 calories
4 cuillerées à soupe de beurre de cajou	300 calories
1 litre de jus de pomme	300 calories
1/2 gâteau marbré	250 calories
5 cuillerées à soupe de hommos	300 calories
1 barre chocolatée glacée	400 calories
1 pomme	76 calories

1 barre chocolatée	200 calories
1 paquet de biscuits apéritifs	200 calories
1 cuillerée à soupe de beurre de cacahuète	75 calories
1 litre de glace à la vanille	2 000 calories

TOTAL DE LA JOURNÉE:	5 176 calories»

«Le 11 octobre 1978, 3 heures du matin.

Je me réveille d'un cauchemar où je déchiquetais un à un mes organes. À chaque coup de dents, je hurlais: *‹Oui! Encore! Plus fort!›* Je voudrais m'atomiser. Je voudrais manger à en mourir. J'ai tant besoin de souffrir. C'est pour moi la seule façon de rendre ma vie supportable. Ne pas dormir, manger sans pouvoir m'arrêter, me pousser à bout: C'est la seule solution que je connaisse. Il faut que j'aille me chercher quelque chose à manger. Trois heures du matin, chez *Albertson*: La lumière crue m'aveugle, j'ingurgite une glace à la vanille. Pouvoir tout oublier et me jeter dans l'océan! Me débarrasser de moi-même! Je ne peux plus me supporter!»

«Oui! Encore! Plus fort!» Je reçus de cette personne la lettre suivante:

«Manger mille calories par jour me semblait encore bien trop. Aussi, lorsque je découvris que ce que l'on appelait *calorie* était en fait une kilo-calorie, je décidai de multiplier toutes les calories que je mangeais par cent[1] et fus écœurée de voir à quel point je mangeais encore trop. Je commençai donc à réduire régulièrement mes portions pour en arriver finalement à un total de cent calories par jour. Je courais dix kilomètres, soulevais des poids et suivais deux séances d'aérobic par jour. Je descendis en dessous de la barre des cinquante kilos — pour un mètre soixante-quinze.»

Oui! Encore! Plus fort!

«Lorsque je voulus alors jouer au football dans l'équipe de mon collège, le médecin me dit que je devais pour cela

---

1 • Il faut en fait multiplier par mille.

peser au moins cinquante-sept kilos. Je repris vingt kilos. Depuis, je ne peux plus m'arrêter de manger.»

Dans la même lettre, elle écrivait:

«Ma mère nous abandonna, moi et mes cinq frères et sœurs, lorsque nous étions encore bébés. Lorsque mon père mourut d'alcoolisme, le docteur affirma qu'il n'avait plus de foie.»

Privée de mère et vivant avec un père alcoolique, on n'a aucune référence, aucune sécurité, aucun soutien. Sans mère et avec un père alcoolique, on n'a personne pour s'occuper de soi, personne à qui se confier, personne à qui exprimer ses sentiments. On apprend donc alors à les taire, à les occulter. On se bâtit pour cela un univers artificiel où l'on pourra les enfermer et où ils pourront s'exprimer — de façon dramatique. Cet univers a pour nom: «Mes problèmes avec la nourriture».

La boulimie nous permet d'exprimer sans risque nos sentiments, notre désespoir, notre rage et nos peines. Tant que nous avons cette obsession, nous possédons une raison matérielle de justifier notre souffrance. Toute douleur peut être ainsi élucidée, comme le formulait ainsi une femme: «Au Benedict Arnold[2] de ma vie: la nourriture».

La plupart d'entre nous devenons si habiles à minimiser ou même à nier notre souffrance que nous finissons par croire sincèrement que nos seuls problèmes sont ceux liés à la nourriture. Nous croyons dur comme fer que nos problèmes de relation à notre corps et à la nourriture sont les seules causes de nos souffrances. De même sommes-nous persuadées que si nous les résolvions, tout serait pour le mieux dans le meilleur des mondes.

Il n'est pas un atelier où je n'entende ce genre de propos. Les participantes y croient avec une telle conviction, une telle abnégation que, dès que je mets en doute la véracité de cette opinion, elles commencent à se plaindre: Les sièges ne sont pas confortables. Il fait trop chaud — ou trop froid. Le prix de l'atelier est trop élevé. Les survêtements sont trop petits. Tout cela parce qu'elles refusent de voir que leur principal pro-

---

2 • Général traître de la guerre d'indépendance américaine.

blème n'est pas, contrairement à ce qu'elles aimeraient croire, leur poids.

Pour beaucoup, leur obsession est la seule chose qui les protège de cette souffrance qui — comme de la glace — paralyse leur vie. Mais, plutôt que de reconnaître une fois pour toutes cette souffrance, elles préfèrent, toujours et encore, s'abandonner à leur obsession salvatrice, persuadées inconsciemment que, la nourriture les ayant déjà sauvées une fois, elle saura toujours les sauver.

J'eus l'occasion de parler une dernière fois à ma grand-mère maternelle, une semaine avant qu'elle n'entre à l'hôpital — moins de deux semaines avant sa mort. C'était l'année où j'avais pris plus de vingt-cinq kilos, l'année où je dérivais sans direction: J'avais quitté l'école et je travaillais à faire des ménages ou la plonge. Ma grand-mère me parla ainsi:

«Je trouve scandaleux que tu ne fasses rien de sérieux. Tu n'es qu'une bonne à rien, un parasite. Est-ce pour en arriver là que ton père t'a envoyée au collège? Pour être une bonne à tout faire? Je suis terriblement déçue, et je suis sûre que je ne suis pas la seule!

J'avais une envie folle de lui crier: «Va au diable!» et de lui raccrocher au nez. Au lieu de cela, je décidai d'encaisser sans un mot et lui répondis d'une voix posée:

— Il faut que j'y aille, grand-mère. À la prochaine.»

Lorsqu'elle rencontra mon père pour la première fois, ma grand-mère prit sa fille en aparté et lui déclara: «La plupart des gens ont trente-deux dents, comment se fait-il qu'il en ait soixante-quatre?» L'été, nous passions les vacances avec toute la famille et, à travers les murs de plâtre écaillé, je pouvais l'entendre parler de moi:

«Ne crois-tu pas qu'elle a grossi, Ruthie? Son père s'occupe trop d'elle. Il ferait bien mieux de s'occuper un peu plus de Howard s'il ne veut pas que sa fille ne devienne une petite peste.»

Lorsque ma mère avait cinq ans, elle découvrit un jour en rentrant de l'école que sa mère avait déchiqueté sa couverture préférée[3] pour en faire des chiffons. L'enfance de ma mère fut un enfer. Mais elle finit — peu à peu — par ne plus faire attention et s'enferma dans un univers qu'elle s'était bâti à l'abri de la souffrance. Quand le fit-elle? Je ne sais pas. Peut-être le jour où sa mère se moqua d'elle parce qu'elle devait se contenter de porter des vêtements d'occasion? Peut-être le jour où, étant par ailleurs la première femme éditrice de l'annuaire universitaire, elle ramena à la maison toute une série de *A* sans que personne ne la félicitât? Peut-être enfin lorsque, au milieu de sa première année de collège, sa mère lui annonça: «Ton père et moi déménageons à San Antonio. Tu as le choix: Ou tu te maries ou tu viens avec nous.»

Ma mère finit donc par s'enfermer dans un univers à l'abri des souffrances extérieures, un univers où elle pouvait orchestrer ses propres souffrances: la drogue, l'alcool, ses amants, ses accidents de voiture, ses maladies, ses problèmes d'argent, son divorce. Et toujours cette obsession de la nourriture. Ainsi, son attention était-elle tout entière absorbée par les drames de son univers imaginaire plutôt que par les souffrances réelles qui en étaient la cause.

Derrière la passion avec laquelle la boulimique aime à créer des drames dans sa vie, se cache la croyance que, si ceux-ci n'existaient pas, elle n'aurait plus droit à ce qu'elle désire. Sans cet aspect dramatique, elle ne serait que tout simplement elle-même et cela n'est pas suffisant.

«Si je ne suis que moi-même et non Yvette Mimieux, personne ne s'intéressera à moi.»

«Si je ne suis que moi-même et non Lou Ann, Matt ne m'aimera pas.»

---

3 • La couverture joue pour de nombreux enfants américains le rôle du nounours. Voir, par exemple, le petit Linus dans *Peanuts*.

«Si je ne trouve pas une raison d'être aimée — être malade, être malheureuse, être célèbre —, si je ne crée pas quelque drame dans ma vie, personne ne s'intéressera à moi.»

«Ma vie de tous les jours est comme moi: ennuyeuse, grassouillette et maladroite.»

Chacune de ces affirmations se fonde sur un credo primordial et silencieux:

«J'étais moi-même étant enfant et cela ne m'a pas réussi. Si j'avais été différente, on m'aurait sûrement aimée. Je ferai donc tout mon possible désormais pour être quelqu'un d'autre.»

Dans de trop nombreuses familles, on évite d'exprimer ouvertement ses sentiments. Tristesse, solitude, peur, colère, affection, respect, tendresse restent tus, retenus ou dissimulés. Ce n'est que dans les situations de crise, dans la peur ou la colère, que les gens se mettent à réagir. C'est là le seul moyen que nous ayons d'attirer leur attention. Si, dans ces moments de crise, on nous avait accordé l'attention que nous réclamions, peut-être aurions-nous alors compris qu'il faut plus que cela pour toucher le cœur de l'autre. L'amour ne peut éclore dans la vie de tous les jours. Il lui faut une dimension supplémentaire et c'est à nous de la créer.

Une participante à l'un de mes ateliers décrivit ainsi la relation avec son père:

«J'avais trois grands frères, mais mon père avait toujours désiré avoir une fille. C'est pourquoi — quand je vins au monde — je devins pour lui aussi précieuse que la prunelle de ses yeux. Lorsque j'allais à la plage avec lui et que je m'asseyais au bord de l'eau, sa présence me donnait l'impression d'être aussi forte que l'océan. Chaque dimanche, il m'emmenait faire un tour dans son camion. Il était vendeur et se sentait très fier lorsque je l'accompagnais en tournée. Mais les affaires tournèrent mal et il dut voyager de plus en plus loin et de plus en plus longtemps. Il ne rentrait même plus le week-end. Et quand il rentrait, ce n'était que pour crier après tout le monde. Un jour où je lui demandais ce que signifie le mot *nigaud*, il refusa de me répondre et me dit que je ne devrais pas être si curieuse. Mais si je pleurais, il me prenait dans ses bras, et quand je tombais malade, il me rapportait des cadeaux. Lorsque, à treize ou quatorze ans, j'attrapais la grippe, je me précipitais dans ma chambre et me couvrais la tête de serviettes chaudes pour faire monter la température. Je voulais être malade. J'étais prête à tout pour que mon père revienne.»

Lorsqu'elle parla de sa relation présente avec son mari, la même femme déclara:

«Dès que je me sens fiévreuse, je me sens mieux. Lorsque je me suis cassé la jambe au ski, l'année dernière, j'ai ressenti en moi une part de joie. Je ne crois pas que je provoque ces maladies, bien que je sois souvent malade — problème de thyroïde, migraines, arthrite, etc... Mais si Bill ne laisse pas aussitôt tout tomber pour s'occuper de moi, j'éclate de colère. Je me sens rejetée. J'exige de lui qu'il m'apporte au lit une soupe à la tomate avec des craquelins beurrés et m'offre une gourmette gravée à mon nom.»

Si notre réaction envers la relation événements-sentiments est: «Ça marche. Comme ça, je réussis à obtenir son attention», cela est signe que nous ne croyons pas pouvoir — en étant simplement nous-mêmes — obtenir ce que nous désirons.

Lorsque j'étais adolescente, une des mannequins du magazine *Vogue* — une blonde échevelée du nom de Verushka — ressemblait comme deux gouttes d'eau à ma mère. J'accrochai dans mon casier une photographie d'elle — moulée de façon provocante dans un fourreau fuchsia, un boa de plumes sur les épaules. Lorsque mes amies me questionnaient sur la photo, je leur répondais: «Pourquoi crois-tu que j'ai accroché cette photo?» Interloquées, elles demandaient: «Ce n'est quand même pas ta mère, n'est-ce pas?» Je leur lançais alors, victorieuse, un sourire de connivence accompagné d'un clin d'œil signifiant: «Bien sûr que si! Croiras-tu maintenant que je ne suis pas n'importe qui?» *Sonia (fabule)*

Nous faisons tout pour nous créer une vie de drames. Nous nous mentons sans cesse, nous tourmentons physiquement et moralement, nous goinfrons ou jeûnons avec la même énergie désespérée et créons autour de nous un perpétuel tourbillon, vivant toujours entre deux pathétiques histoires d'amour. Nous préférons créer ces drames dans notre relation aux autres plutôt que d'accepter ce qu'il y a de douloureux en nous. Nous refusons d'être honnêtes dans nos conflits intérieurs et préférons vivre l'enfer que nous nous sommes créé. Tout plutôt que de se regarder en face. Tout plutôt que d'accepter l'intimité.

La boulimie est un drame formidable. Elle renferme tous les éléments indispensables à une bonne tragédie: fureur, frustration, douleur, chagrin, angoisse, joie, espoir, allégresse, euphorie. La boulimie nous permet de créer une excitation, une implication illusoire, et de rendre ainsi exaltante notre vie de tous les jours. Pour cela, nous n'avons rien d'autre à faire qu'à nous vautrer dans des orgies de nourriture pour nous astreindre ensuite à des régimes draconiens. Il nous suffit de posséder quatre garde-robes complètes de tailles différentes et de nous rapprocher toujours plus près du poids idéal sans jamais l'atteindre ou y demeurer plus d'une semaine. Pour ressentir en nous cette vitalité et cette intensité qui sont le sel de la vie, nous nous consacrons corps et âme au cycle infernal et chaotique de notre poids. Nous nous créons — dans notre petit univers — une vie trépidante. Nous n'avons plus désormais besoin de personne.

Vivre l'intimité, c'est au contraire accepter de dévoiler à l'autre ces aspects de nous que nous croyons méprisables et prendre ainsi le risque qu'il se détourne de nous comme l'ont fait nos parents. Une voix au fond de nous supplie: «Ne me demandez pas de revivre cette douleur atroce!» L'intimité, c'est la tendresse et l'humour, la complicité et l'affection, mais c'est aussi accepter de revivre les pires moments de notre enfance.

Nous nous faisons de fausses idées sur l'amour. Toutes les chansons que nous entendons à la radio ne parlent que de passion ou de souffrance terriblement romantiques, mais personne ne chante qu'il ne s'agit là que des six premiers — ou derniers — mois d'une relation. Car lorsque je parle avec des amies célibataires, il n'en est pas une qui n'évoque la tristesse de vivre seule. Elles rêvent toutes, le soir, de s'endormir dans les bras douillets d'un homme. Les magazines, quant à eux, vantent les mérites de ces nouvelles agences hautement sophistiquées qui organisent des rencontres pour hommes et femmes d'affaires pressés: «Payez trois mille dollars et vous aurez accès à une galerie de portraits-vidéos parmi lesquels vous trouverez le parfait amour...» Être à la recherche de l'homme parfait est pour la célibataire l'équivalent d'être à la recherche du poids idéal pour la boulimique. Tout est organisé pour nous faire croire que tomber amoureuse — ou être mince — est la panacée absolue à la souffrance qui nous torture le cœur. Personne ne nous informe que la difficulté n'est pas de trouver l'homme parfait ou le poids idéal, mais de les garder. Et c'est pour cette raison que nous faisons tout notre possible pour prolonger indéfiniment notre quête, évitant de notre mieux d'atteindre l'idéal que nous nous sommes fixé. Nous avons inconsciemment décidé qu'il valait mieux pour nous souffrir éternellement en croyant ainsi gagner amour et protection. Nous préférons nous consacrer jour et nuit à notre quête. Nous préférons chercher — et trouver — dans notre relation présente la cause de nos problèmes, plutôt que de risquer à nouveau cette vulnérabilité que nous avons vécue enfant et qui est la contrepartie inévitable de l'intimité.

Matt et moi marchons le long de la plage, riant d'un chien qui refuse de rendre un frisbee à son propriétaire, quand tout à coup Matt, sans s'en rendre compte, lance une parole qui réveille en moi la vieille angoisse de mon enfance. En un clin d'œil, j'ai de nouveau huit ans.

Je n'ai gardé que de mauvais souvenirs de mes huit ans et je ne tiens donc pas du tout à les revivre. C'est pourquoi, dès que je sens ressurgir en moi les crises d'angoisse et de désespoir de cette époque, je les repousse avec violence en me convainquant qu'elles sont ridicules, égoïstes et infantiles. Je me replie sur moi-même comme une anémone de mer blessée.

Matt se sent rejeté et me demande ce qui ne va pas. Je réponds, une fois de plus:

«Rien du tout.

Il réplique alors:

— Si tout va bien, alors pourquoi me regardes-tu comme si j'étais un inconnu?

Je lui réponds qu'il se fait des idées. Il ne me croit pas et me demande de lui dire la vérité. Je lui déclare alors — prête à exploser de colère — que je ne supporte pas qu'on me traite de menteuse. C'est ainsi que, dans mon désir de me protéger, j'ai créé le drame numéro trois mille cinq cent soixante-sept.

Si je disais la vérité à Matt — si je lui avouais que je me sens comme une petite fille de huit ans, seule et terrorisée à l'idée qu'il ne m'aime plus —, j'aurais peur qu'il me réponde: «Tu ne fais pas que te sentir comme une petite fille de huit ans, tu te comportes aussi comme si tu n'avais que huit ans!» ou: «Je ne supporte vraiment plus ta sensibilité maladive!» J'ai peur qu'il se moque de moi, qu'il me crie dessus, qu'il me quitte. Dans ma peur de rouvrir les blessures de mon enfance, je me prive maintenant de l'intimité qui m'a tant fait défaut alors.

Dans nos relations présentes, nous devons prendre le risque, en étant honnêtes, de revivre les circonstances qui nous ont poussées à ne plus oser dire la vérité. Au-delà des chansons d'amour et de la quête de l'homme ou du poids idéal, la clé de nos problèmes réside avant tout dans le fait d'accepter de revivre les moments d'horreur de notre enfance, de savoir donner voix à l'inexprimable et de lui accorder la place qui lui revient. C'est là le seul moyen que nous ayons d'être enfin vraiment nous-mêmes.

Le véritable problème avec la boulimie n'est pas de renoncer à son désir d'être mince ou de pouvoir porter des vêtements plus moulants, mais de renoncer à se protéger de la souffrance. Car, en se protégeant de la souffrance, on s'interdit l'intimité. Mais si nous acceptons notre souffrance, nous lui permettons de s'exprimer. Et en lui donnant le droit à la parole, nous lui permettons de se libérer — de nous libérer.

L'intimité, ce n'est pas seulement avoir quelqu'un dans les bras de qui on puisse s'endormir ou avec qui l'on puisse partager sa vie. L'intimité, c'est aussi pouvoir être proche de quelqu'un. Pour cela, il faut accepter de revivre ces instants où nous avons décidé qu'être proche de quelqu'un était trop effrayant. Lorsque nous effectuons ce retour en arrière, nous nous donnons la possibilité de revivre notre enfance, mais en tant qu'adultes cette fois. Nous comprenons ainsi qu'il n'est plus nécessaire, pour survivre, de dissimuler nos sentiments et nos émotions. Ce faisant, nous revendiquons cette précieuse partie de nous-mêmes — notre confiance, notre foi, notre honnêteté — que nous avions enfermée à double tour au plus profond de nous, à l'abri du chaos destructeur qui régnait dans notre famille.

Le problème que nous devons affronter, en abandonnant l'aspect artificiellement dramatique de notre relation à la nourriture ou à l'amour, est que nous nous retrouvons sans autre ressource que nous-mêmes. Nous sommes en terrain inconnu. Nous nous retrouvons face à un problème dont nous ne soupçonnions même pas l'existence: Nous devons assumer notre droit à la tranquillité et au bonheur.

Si nous avons vécu dans un milieu familial où tout était — ou semblait — sur le point de s'écrouler, si nous étions soumises à une violence physique et émotionnelle, si nous avons été battues ou délaissées, il est alors normal que ce qui nous soit le plus familier, et donc le plus rassurant, soit la peur. Nous nous méfions ainsi de tout ce qui a l'air rassurant, réconfortant, car sans la peur quelque chose d'essentiel manque à notre vie. Nous ne saurions pas vivre sans ces drames qui ont constitué la plus grande partie de notre enfance. Pour nous, c'est la souffrance qui donne sa valeur à une expérience. Si nous souffrons, c'est que ce que nous vivons en vaut la peine. C'est notre lutte qui donne un sens à notre vie, et seule une difficile victoire pourra nous donner un sentiment réel d'accomplissement.

Une boulimique ne connaît pas de répit. Elle est toujours en train de monter ou de descendre d'une balance. Elle est toujours à se lamenter sur sa silhouette présente ou à regretter celle qu'elle possédait encore hier, si ce n'est celle de l'année dernière. Lors d'un atelier, une femme déclara: «Je serais prête à mourir pour être aussi mince que je l'étais il y a cinq ans.» Il est interdit d'être jamais satisfaite.

Il en est de même avec l'intimité. C'est parce que nous nous sentons à l'aise dans la lutte et la souffrance que nous avons tendance à rechercher des hommes qui ne nous aiment pas, qui sont alcooliques ou drogués et qui sont surtout incapables de s'engager. Nous aimons tellement la lutte et la souffrance que nous serions capables de détruire la plus formidable histoire d'amour.

La tranquillité et le bonheur demandent des efforts. Ils ne sont pas le simple résultat du succès, de l'amour ou d'une silhouette élégante. Il faut aussi savoir — entre autres choses — s'arrêter et regarder autour de soi. Pour celles d'entre nous qui, enfants, croyaient qu'il fallait continuellement fuir les coups, la tranquillité semble être une attitude excessivement périlleuse pour la survie.

La semaine dernière, j'étais en train d'ouvrir la porte du garage et m'étais baissée pour fixer le loquet qui la maintenait ouverte, lorsque notre voisine Estelle recula avec sa voiture pour sortir de sa place de stationnement. Elle n'avait pas remarqué que ma porte était ouverte. Sa voiture défonça la porte, qui s'abattit sur ma tête. En quelques minutes, j'avais sur le front une bosse grosse comme un œuf de pigeon. Je me précipitai dans la cuisine pour mettre de la glace sur cette bosse et découvris dans le congélateur *Le Festin nu* et six bacs à glaçons vides. Je me préparais à demander, dès son retour, des explications à Matt , lorsque je changeai tout à coup d'avis et, décidant inconsciemment que je n'avais aucune raison de me comporter comme une adulte, commençai à gémir, hoqueter et pleurnicher. J'imaginai que le sang allait former un caillot et que je mourrais dans les quarante-huit heures. Je m'imaginais, conduisant ma voiture, prise tout à coup de vertige, perdre le contrôle et m'abîmer dans l'océan. Je me voyais assommer Estelle à coups de batte de baseball ou téléphoner à Matt pour lui annoncer en pleine réunion que j'avais une commotion cérébrale — peut-être un caillot — et qu'il devait revenir immédiatement afin de me conduire à l'hôpital. Au lieu de tout cela, remarquant que j'étais déjà en retard à mon rendez-vous avec Maggie, ma psychanalyste, je bondis dans la voiture et me rendis à son cabinet.

Je pénétrai en trombe dans son salon. Elle me demanda ce qui m'était arrivé. Je me mis aussitôt à gémir. Je lui racontai l'histoire d'Estelle, du livre congelé, de la commotion cérébrale et du caillot. Je lui montrai la bosse sur mon front. Elle se rendit à la *King's Tavern* me chercher un sac de glace, l'enveloppa dans une serviette et me le posa sur la tête. Elle me dit alors qu'il était hautement improbable que j'aie un caillot et que, plutôt que de me torturer, je ferais mieux de demander à Matt pourquoi il avait placé ce livre dans le congélateur. Elle me dit aussi que je n'avais pas eu de chance de me trouver derrière la porte lorsque Estelle avait reculé, mais que si je ne ressentais ni vertige ni nausées, il y avait toutes les chances pour que cela ne fût qu'une bosse et rien de plus.

«Comme c'est dommage, c'est si peu romantique... soupirai-je.

— Comment? Vous trouvez peut-être une commotion cérébrale, un caillot, romantiques? me demanda-t-elle.

— Pas exactement, mais la peur d'avoir une commotion cérébrale oui. Si Matt et mes amis croyaient que j'ai une commotion cérébrale ou un caillot, ils m'en aimeraient d'autant plus. L'idée d'assister à mes propres funérailles et d'entendre tout le monde dire à quel point j'étais fantastique me séduit assez.

— Cela ne marche pas comme ça, Geneen! Il faut que vous fassiez un choix! Ou bien vous apprenez à changer votre façon de voir les choses, à vous accepter telle que vous êtes, aussi normale et peu romantique que vous puissiez être. Ou bien vous continuez à vouloir vivre dans un ouragan de passion, toujours à craindre le jour où, la poussière retombant, les gens découvriront votre véritable moi et vous rejetteront.

Silence.

— Est-ce que vous trouvez toujours votre caillot romantique? demanda-t-elle à nouveau.

Je revis mes cheveux verts, mes crises d'épilepsie, le morceau de carton dans ma bouche, Lou Ann.

— Seulement parce que ma vie ne l'est pas», finis-je par répondre.

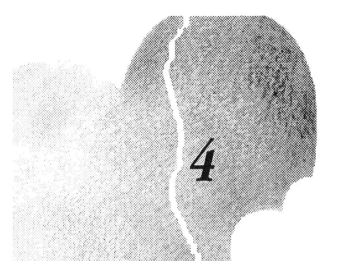

4

Poursuivre
l'impossible

Dans le cadre de mes activités de méditation, je participe régulièrement à des retraites silencieuses où aucune parole, aucun regard, aucun contact n'est autorisé. Malgré ces conditions extrêmes, je parvins tout de même, lors de ma première retraite, à tomber follement amoureuse d'un inconnu. À tel point que, sans lui avoir encore jamais adressé la parole, j'étais bientôt persuadée d'avoir rencontré l'homme de ma vie — mon futur mari. Pour celles qui croient qu'il est impossible de tomber ainsi amoureuse de quelqu'un avec qui on n'a jamais échangé ne serait-ce qu'un mot ou un regard, voici maintenant le récit de ma séduction silencieuse:

«Première journée
À peine arrivée à l'Institut de métaphysique, en plein désert de Californie, je ressens un malaise et commence à me demander ce qui a bien pu me pousser à venir ici. Je dois partager ma chambre avec une femme du nom de Rosalyn. C'est une blonde décolorée — arborant une chemise à fleurs rose et jaune fluorescent sur des collants bleu cobalt — qui n'arrête pas, tout en déballant sa valise, de souffler et de faire éclater son *bubble-gum* avec une exaspérante régularité.

L'emploi du temps et le règlement sont affichés dans la salle à manger: quinze heures de méditation assise ou ambulatoire par jour avec interdiction de dire un mot ou d'échanger un regard...et ce pendant DIX jours! Je romps aussitôt mon vœu de silence pour demander à ma voisine

si tout cela n'est qu'une plaisanterie. Je décide également de rayer immédiatement de la liste de mes amies
Alexandra qui m'avait parlé de cette retraite mais avait
omis de m'en mentionner les conditions. Elle m'a trahie.
Je ne veux plus la revoir, jamais.

Deuxième journée

Première séance de méditation assise. J'ai apporté mon
tapis et mon coussin de méditation assortis: rose avec un
motif gris. Après trois quarts d'heure seulement, je n'en
peux déjà plus: Mon dos et mes genoux me font tellement
souffrir que j'en ai envie de hurler. La femme assise
devant moi gémit. J'ai une terrible envie d'étrangler le
professeur. Je ne peux plus supporter sa voix mielleuse!

Troisième journée

Je veux m'en aller! Je n'arrête pas de m'endormir durant
les méditations. Encore huit jours comme ça... Mon Dieu!
faites que cela soit fini! Moi qui n'ai jamais la patience
d'attendre. Que ce soit au cinéma ou au théâtre — et
même en amour —, je trouve toujours un prétexte pour
me défiler avant la fin. Alors, en quoi cela est-il différent?
Et où irais-je? Je ne me sentirais sûrement pas mieux
ailleurs... mais je ne supporte plus de rester ici.

Cinquième journée

Cette retraite n'en finit plus. Je suis vidée et mes nerfs sont
sur le point de lâcher. Je m'accroche toute la journée à la
pause de cinq heures — avec ses graines de tournesol —
comme à une bouée de sauvetage. Mais rien n'y fait. Le
problème est que je me sens mal et que manger ne m'aide
pas. Un des animateurs nous a d'ailleurs déclaré hier soir:
‹Vous allez vite vous rendre compte que vous ne vous
sentez pas plus heureux après avoir mangé.›

Sixième journée

Je remarque un homme séduisant. Il a les cheveux noirs,
bouclés, porte des lunettes d'écailles et des vêtements
provenant d'un tailleur réputé. On dirait l'homme du
magazine *Esquire*. Comment vais-je l'appeler? Robert?
Non! j'ai toujours rêvé d'un amant qui s'appellerait
Michael... Ce sera donc Michael! Hier, nos yeux se sont

presque rencontrés: Héhé! ai-je pensé, il est tout à fait mon genre.

Je connais déjà la marque de ses chaussures et la place qu'il occupe dans la salle de méditation. Encore quelques jours et je saurai combien il met de sucre dans son café. Le plus grand obstacle à notre histoire d'amour reste que nous ne puissions pas nous parler. Dans mes rêves, la retraite terminée, il m'emmène à l'aéroport, nous bavardons et commençons à nous apprécier mutuellement, nous nous revoyons de plus en plus souvent... Que c'est fantastique d'être amoureuse!

Septième journée

L'animateur nous dit:

‹Donnez un nom à la sensation que vous ressentez maintenant dans votre corps.

— Le désir.

L'animateur continue:

— Où se situe-t-elle?

— Dans la poitrine.

— De quelle couleur est-elle?

— Bleue.

— Visualisez-la avec le plus de précision possible.

— Le désir est comme une corde de soie bleue enserrant dans un nœud le côté droit de mon cœur.

— Définissez-la.

— Le désir d'être en paix. Le désir d'être heureuse. Le désir d'être aimée. Le désir que quelqu'un pénètre dans ma poitrine et me rejoigne dans ce qu'il y a de plus profond en moi. Je n'ai jamais rien désiré d'autre.›

Mais après avoir tant désiré être aimée, sais-je encore vraiment ce qu'est l'amour?

Huitième journée

Mon esprit s'accroche à ses rêves comme un mendiant à son croûton de pain. Cela seul me permet d'échapper au présent. Au moment de la pause, j'ai rêvé que je m'envolais pour le Mexique avec Michael. Alors que je finissais mon dernier biscuit au caroube et aux raisins, nous courions main dans la main sur des plages de sable noir après avoir fait l'amour dans la moiteur d'une case de bambou.

Neuvième journée

Durant la méditation ambulatoire du matin, je devais lever-déplacer-poser un pied puis l'autre — avec attention — afin d'aiguiser ma perception des sensations de la plante de mon pied lorsqu'elle touche le sol, afin aussi d'aiguiser ma perception du travail de chacun des muscles nécessaires à la marche. Durant la méditation de l'après-midi, je devais développer mon attention afin de me libérer du désir et des cinq obstacles. Je devais lentement m'élever vers l'illumination et la libération de la souffrance de tous les êtres vivants. Au lieu de tout cela, je n'étais en fait obnubilée que par les muscles qu'utilisait Michael pour déplacer sa fesse droite dans son vieux blue-jean délavé. Ma conscience toute-puissante était concentrée... sur le roulement de ses fesses tandis qu'il levait-déplaçait-posait alternativement les pieds sur les marches de l'escalier. J'élevais ma conscience... en imaginant la sensation de ses doigts fuselés sur mon visage, de ses lèvres sensuelles sur ma nuque. Je remarquais la sensation de palpitation dans ma poitrine... tandis que je l'imaginais me murmurer des mots d'amour. Je ne faisais plus qu'un avec l'univers lorsque, fixant mon attention sur lui..., je sentais frémir mes mollets à chacun de ses pas. L'illumination eut lieu pour moi lors de la méditation ambulatoire du soir. Je regardais Michael descendre l'escalier et remarquai qu'il avait fermé les yeux tandis que, la main sur la rampe, il levait-déplaçait-posait avec attention un pied sur chaque marche. Je me plaçai donc avec grande attention à l'autre bout de la rampe, fermai également les yeux et, gardant l'équilibre en m'aidant de la main, je commençai, en levant-déplaçant-posant un pied l'un après l'autre, à lentement gravir l'escalier. Et ce qui devait arriver arriva: un choc soudain, la perception d'un contact physique, une sensation de chaleur. La main de Michael rattrapant la mienne. J'ouvre les yeux. Il me regarde. Sur sa bouche se dessine un sourire qui étincelle dans le soleil couchant. Mais son regard se détourne rapidement et il poursuit son long chemin vers la libération...

Dixième journée

La retraite est terminée. Nous rompons enfin le silence lors de la dernière réunion. Chacun doit se nommer et a le droit de dire deux phrases. Michael s'appelle en réalité Ralph Sheen. Il a déjà passé six mois en retraite de méditation et part dans quatre mois pour la Chine. Jusqu'à son départ, il va habiter à Santa Cruz. De toutes les villes du pays, il fallait qu'il vienne vivre dans la mienne! Notre rencontre était donc inévitable!

Je nous vois déjà sur la plage, enlacés dans les derniers feux du soleil couchant! Dans mon lit en cuivre, enivrés par les effluves des pruniers en fleurs! Main dans la main, nous mariant à minuit au bord d'un lac où flottent des milliers de bougies!

Mais, avant tout cela, il faut que je me présente.»

Ralph était célibataire, n'avait personne dans sa vie et n'était ni alcoolique ni drogué, ni *workaholic*. Il avait des taches de rousseur adorables et un regard de velours irrésistible. Il se cachait pudiquement le visage quand il riait et levait le petit doigt en prenant son verre. Il me dit qu'il cherchait une femme passionnée qui saurait lui révéler les aspects de sa personnalité qu'il essayait de se cacher. Ralph me plaisait, il était libre et disponible... Le seul problème était qu'il m'avoua ne pas être amoureux de moi. Si, bien sûr, vous considérez cela comme un problème... Car, pour moi, cela n'en était pas un! J'étais persuadée que Ralph ne savait pas ce qu'il voulait et qu'il suffirait que je lui fasse comprendre que ce qu'il voulait, c'était moi.

J'aimais son visage et j'aimais ses mains. J'étais fascinée par sa démarche et la façon dont ses cheveux bouclaient sur sa nuque. Sa voix et son rire m'étourdissaient. Je voulais passer ma vie avec lui et je n'avais absolument pas l'intention de laisser quelque chose — ou quelqu'un — se mettre en travers de mon chemin. Surtout pas Ralph.

En route pour un pique-nique, nous nous arrêtâmes à la boulangerie. Ne sachant pas quoi choisir, nous restâmes longtemps à observer silencieusement les gâteaux dans la vitrine — pour finir par éclater tous les deux d'un fou rire irrépressible lorsque nous décidâmes finalement — en chœur — de prendre deux pâtisseries chacun.

«Il se sent bien avec moi. Je lui plais, c'est certain. On ne rit pas ainsi avec quelqu'un qui ne nous plaît pas.»

À la fin du pique-nique, je sortis les gâteaux.

«D'abord le beignet, dit-il en léchant la crème qui débordait.

— Tu as de la crème tout autour de la bouche, lui fis-je remarquer. Laisse-moi m'en occuper.»

Je l'embrassai. Il me rendit mon baiser. Nous continuâmes ce petit jeu, nous embrassant la nuque, les yeux, les mains...

«Il m'aime, je le savais. Il m'aime! On n'embrasse pas quelqu'un que l'on n'aime pas. On n'embrasse pas quelqu'un qui ne nous attire pas. Il a craqué. Je le savais. Je le savais!»

Après que nous ayons fait l'amour, Ralph m'avertit:

«Ne t'emballe pas. Je n'ai pas dit que j'étais amoureux de toi. Je me suis laissé emporter. Cela a été très agréable, mais c'est tout.

— Oui, oui, acquiesçai-je, je sais.»

«Bien sûr, Ralph, bien sûr, je comprends. Je ne sais pas pourquoi mais tu as peur d'aimer. Peut-être as-tu été blessé? Ce n'est pas grave. Je comprends — et je serai patiente — car je sais que tu finiras par comprendre que tu m'aimes.»

Ralph me répéta six fois en trois semaines qu'il ne voulait pas que nous soyons amants, tout en m'assurant aussi qu'il m'aimait. «J'ai du mal à vivre l'intimité. Mais je crois que si tu restes auprès de moi, je pourrai changer.» Nous fîmes l'amour une dernière fois la veille de son départ en Chine. «Laisse-moi rester en toi, supplia-t-il, laisse-moi rester en toi...» Je ne désirais que cela.

Durant les onze mois de son absence, Ralph ne m'envoya que trois cartes postales et une seule lettre. De mon côté, je lui envoyai une lettre de trente-huit pages que j'avais écrite pendant trois mois en guise de journal. Je lui parlais de mes balades sur la plage au soleil couchant, je lui racontais que j'avais vu sur le marché des dattes de Majpool — la ville où il se trouvait. Sur le ton le plus gai possible, je lui racontais tout de mes journées. Tout — sauf que je vivais en suspens dans l'attente de son retour, m'enivrant en rêve de ce que serait alors notre vie ensemble.

J'étais heureuse. Rien ne me manquait vraiment: ni l'amour physique ni le fait de n'avoir personne avec qui partager ma vie. En fait, Ralph ne me manquait même pas. Je le connaissais à peine! J'avais ce que j'avais toujours désiré. Je possédais ce que je croyais être le bonheur: l'illusion d'être aimée.

Durant son absence, je déménageai au bord de l'océan dans une maison que je décorai en vue de son retour. Des guirlandes de fleurs séchées en forme de cœur, des voilages de dentelles beiges, des chandeliers sur le rebord des fenêtres. Ce serait notre maison. J'y vivrais à ses côtés. Nous serions heureux ensemble, au bord de l'eau, dans ce cottage de bois bleu.

Durant les deux ans que dura notre liaison, je ne vis — en tout — Ralph que vingt-deux jours. Il allait aux quatre coins du monde participer à des retraites et passait le reste de son temps chez des amis à Berkeley. Il répétait souvent que je n'étais pas du tout son genre de femme et, parfois cependant, affirmait au contraire être amoureux fou de moi. En fait, il avouait la plupart du temps ne pas savoir ce qu'il ressentait vraiment. Je ne savais donc jamais, lorsqu'il venait me voir, si j'allais retrouver un ami, un amant ou un inconnu. Un jour où il me répétait que je ne correspondais pas du tout à son image de la femme idéale, je lui demandai de me montrer le genre de femme qui lui plaisait. Il me désigna alors une blonde décolorée et longiligne qui ne devait pas peser plus de quarante kilos!

Lorsque je racontai tout cela à Sara, elle voulut débouler chez Ralph au milieu de la nuit et réduire ses meubles en poussière. Elle voulait l'assommer à coups de boule de quilles, lui planter des fléchettes dans les yeux, le torturer et l'étrangler.

Ce qu'elle voulait surtout, c'était que j'arrête de me torturer ainsi. Elle me suppliait et me sermonnait en même temps:

«Tu dois arrêter tout cela avant de perdre le dernier brin de bon sens qui te reste. D'abord, il prétend que tu ne l'attires pas puis il couche avec toi. Ensuite, il décide que tu lui plais et te demande de rester avec lui, puis s'en va finalement pour un an... Ce type est ma-la-de! Ralph n'est qu'un fou dangereux. S'il prétend qu'une femme idéale l'attend quelque part et qu'il doit la trouver, ce n'est que pour ne pas s'engager. Il ne veut pas se regarder en face et se moque complètement de ce que tu ressens! Tu mérites bien mieux que cela, Geneen! Quelqu'un qui sache t'apprécier à ta vraie valeur — pas un taré! Appelle-le ce soir et dis-lui que tu ne veux plus le revoir! Non, tout de suite. Je fais le numéro et resterai là jusqu'à ce que tout ça soit réglé. Allez, appelons-le! Maintenant!»

Je ne pouvais pas. Je ne voulais pas. Ralph était mon seul espoir de bonheur. Je ne pouvais pas le chasser ainsi. Je ne voulais pas sombrer à nouveau dans ce cauchemar où des créatures monstrueuses s'enflent en des géants gras et bouffis pour s'amenuiser ensuite en des pantins jaunes aux yeux caverneux. J'avais besoin de lui, je le savais. Personne ne pourrait me convaincre du contraire. Je lui pardonnais tout: ses absences, ses négligences, son manque total de tendresse. Lui ne s'excusait jamais, il était pardonné d'avance. Je me croyais incapable de vivre sans lui. Dès qu'il arrivait, tout se passait comme s'il appuyait sur un interrupteur marqué bonheur: Ma vie, qui était morne et triste, devenait merveilleuse. Tout prenait alors une saveur nouvelle. Les couleurs, les sons, les goûts, tout était différent. Les fleurs, les oiseaux, tout me ravissait. Lui seul savait m'apporter le rire et la beauté qui manquaient tant à ma vie. Avec Ralph, tout semblait possible, je me sentais heureuse. Mais lorsqu'il partait, je me retrouvais seule et plus rien ne m'intéressait.

Sara me demanda alors en hurlant: «C'est donc ça pour toi, être heureuse?» Je restai silencieuse. Je devais me protéger — protéger Ralph — de ses attaques. Et je ne voulais surtout pas savoir pourquoi il restait des semaines sans m'appeler, ni pourquoi il ne voulait pas me présenter à ses amis.

Je m'accrochais désespérément à nos quelques rares moments ensemble — ces trop courts instants de bonheur. Pour mon anniversaire, nous étions allés chez *Adelita* manger des enchiladas. Ralph m'avait alors pris la main et m'avait déclaré: «Tu es tout ce que je peux désirer.» Un après-midi d'été, allongé sur le lit dans la chaleur étouffante, à feuilleter un livre sur les peintures de Georgia O'Keefe, il s'était tourné vers moi et m'avait chuchoté: «C'est si bon d'être avec toi.» Les éclats d'un bonheur trop fugitif...

Deux ans après notre rencontre, Ralph fut accepté à l'école de gastronomie de Berkeley. Nous étions assis dans le patio lorsqu'il m'annonça qu'il devait déménager:

«Je m'en vais vivre à Berkeley, commença-t-il. Je ne viendrai plus ici... et je te demanderais de ne pas venir me voir non plus.

Je le fixai, incrédule. Il ne peut pas dire ça! Il ne peut pas réellement le penser! Il doit plaisanter. Voilà deux ans que nous sommes ensemble et il me demande de ne plus chercher à le revoir?

— Peux-tu répéter... Peux-tu me répéter ce que tu viens de dire? articulai-je.

Et il répéta:

— Je déménage à Berkeley et je ne crois pas que cela soit la peine que nous nous revoyions.

— Espèce de salaud! Disparais de ma vue! Immédiatement!

Ralph eu l'air surpris.

— J'aimerais rester ton ami, dit-il. Je n'ai jamais voulu rien d'autre. Mais je ne crois pas que nous devrions chercher à nous revoir. Si cela arrive, tant mieux, je serai toujours heureux d'avoir de tes nouvelles, de savoir comment tu vas. Mais c'est tout.

— Disparais! Immédiatement!

J'étais écarlate, ma voix tremblait. Je me dirigeai, passant — sans même les voir — devant les cœurs de fleurs séchées, vers la porte, l'ouvris et lui fis signe de déguerpir. Il sortit en me souriant. Je le foudroyai du regard.

Je ne le revis jamais.

❤ ❤ ❤

Ce n'est pas la force de ma volonté qui m'a permis de chasser Ralph de ma vie. Je l'aimais toujours et je ne croyais pas mériter mieux. Mais ses paroles — ce qu'elles exprimaient — n'avaient pas de place dans le rêve que je m'étais si soigneusement bâti pendant ces deux années.

Dans mon rêve, Ralph réclamait de la patience. Je lui avais accordé des années. Dans mon rêve, Ralph m'aimait, mais avait peur de l'intimité d'une femme. Je l'avais encouragé à commencer une thérapie, et trouvai, après maintes résistances, un psychanalyste qui lui convenait. Dans mon rêve, la thérapie l'aidait à se rendre compte que, malgré ses problèmes affectifs, il y avait près de lui une femme — moi — qui, par sa sensibilité et sa patience, était arrivée à le comprendre et attendait patiemment qu'il l'aime en retour.

Dans mon rêve, l'homme, finissant par comprendre combien ses départs répétés avaient fait souffrir la femme et l'enfant en elle, décidait de rester pour toujours.

Si je demandais à Ralph de partir, c'est parce que j'avais finalement compris qu'il n'avait jamais vraiment été là.

Je savais que ma relation avec Ralph n'était en fait que le reflet du combat — d'une grande violence — qui se déroulait dans mon inconscient. Mais je n'avais aucune idée ni de ce que c'était ni de la manière dont je pourrais le faire cesser. Durant ces deux années, je me sentais comme une marionnette, obéissant à des réflexes qui m'étaient familiers mais qui n'avaient cependant plus aucun rapport avec la réalité. Mes paroles me semblaient artificielles, mes actions télécommandées. Et je sentais — avec rage et désespoir — que je ne pouvais quitter ce rôle. Comme si pouvoir être auprès de Ralph était pour moi une question de vie ou de mort, comme si j'étais toujours une enfant et lui l'adulte dont je devais dépendre pour ma survie.

Les enfants sont obligés de taire et de cacher ce qui les fait souffrir. Ils sont obligés de supporter avec amour ces parents qui les maltraitent. Car pour eux, choisir entre supporter les mauvais traitements ou être abandonnés, c'est choisir entre la vie et la mort: Il n'y a pas d'hésitation possible. Les enfants n'ont donc pas d'autre choix que de se dévouer corps et âme à leurs parents, supportant tout, pardonnant tout, prêts à tout subir sans dire un mot. La seule solution qui leur reste est alors de se construire un monde de rêves. Un monde où ces mêmes parents, qui les battent et les abandonnent, viendront les aimer et les choyer. Ce n'est qu'en se créant ainsi un monde imaginaire — et en croyant qu'un jour il deviendra réalité — que ces enfants arrivent à supporter ainsi leurs souffrances.

Si l'un de ses parents est mort, absent, distant ou brutal, l'enfant aussitôt se crée un univers dans lequel celui-ci, ou son substitut, sera vivant, attentif et affectueux. Les caractéristiques de cet univers seront directement liées aux conditions de sa vie réelle. Si son père est violent, il sera débordant de tendresse. Si sa mère est souvent absente, elle sera toujours attentionnée. Cet univers est créé donc en contrepoint de la vie quotidienne. Toutes les souffrances s'y transforment en joies. On y imagine des excuses pour les comportements les plus impardonnables. Ma mère ne voulait pas vraiment me battre, elle est seulement fatiguée... Mon père m'aime tellement qu'il travaille jour et nuit pour m'offrir des cadeaux et c'est pour cette raison qu'il n'est jamais là...

Les parents de mon amie Melissa divorcèrent alors qu'elle avait dix ans. Par une étouffante nuit d'août, son père prit la camionnette et disparut sans même dire au revoir. Elle ne le revit pas avant l'âge de vingt-cinq ans. Après le divorce, sa mère décida de déménager pour quelque temps dans le Wyoming. Elle promit à Melissa qu'elles retourneraient, d'un jour à l'autre, en Californie. Elles restèrent dans le Wyoming trois ans, trois ans pendant lesquels Melissa attendit chaque jour, sa valise prête sous son lit, un départ qu'elle espérait imminent. Son papa lui manquait tant. Elle avait totalement oublié qu'il avait été absent huit mois sur dix, et que, lorsqu'il était là, ce n'était que pour se disputer, lire le journal ou rester devant la télévision à regarder les émissions sportives en buvant de la bière. Pour elle, son papa était le «roi de (son) cœur». Sa mère criait, la punissait et pleurait sans cesse. Son papa chéri, lui, était généreux; il viendrait un jour la tirer de cette vie de misère au fin fond du Wyoming. Son papa est resté disparu pendant quinze ans. Ce père idéal, ce papa chéri!

L'agonie d'une enfant que son père abandonne sans lui dire au revoir est sans limites. La mère de Melissa ne supportait pas l'affection de celle-ci pour son père. Elle ne permettait même pas que l'on prononce son nom. Sans personne pour la réconforter et reconnaître sa tristesse, sa solitude et sa colère, Melissa dut transformer cette insupportable angoisse en une émotion avec laquelle elle puisse continuer à vivre. Elle se créa donc un univers de rêve où elle manquait autant à son père que celui-ci lui manquait. Un univers où seul le manque de temps et d'argent empêchait celui-ci de venir la voir ou de lui écrire. Un jour, il finirait par venir la chercher, elle en était sûre. La vie serait alors formidable. Ils iraient ensemble faire du surf, se gaveraient de confiseries, et elle n'aurait plus jamais à faire son lit.

Lorsque nous sommes enfants, nos parents ont pour nous les yeux clairs et la peau douce. Ils sont grands, forts et savent tout. Ils sont parfaits. Nos parents renforcent encore cette impression en nous apprenant que les adultes ont toujours raison et que les enfants doivent leur obéir au doigt et à l'œil — et en silence! Mais personne ne nous enseigne jamais que nos parents peuvent mentir ou sont parfois égoïstes. Ni que ceux-ci ont autant besoin de notre amour que nous avons besoin du leur. Nous n'avons pas le droit de nous fâcher contre nos parents mais ceux-ci, par contre, ont le droit de se saouler et d'en rejeter ensuite la responsabilité sur nous. Ils prétendent que c'est parce que nous n'avons pas fait la vaisselle. Et nous les croyons. Ils nous frappent à coups de balai ou de ceinture, en disant que c'est pour notre bien. Et nous les croyons. Ils se faufilent la nuit dans nos chambres et glissent leurs mains dans nos pyjamas pour nous tripoter tout en prétendant que c'est nous qui les provoquons. Et nous les croyons. Nous nous convainquons alors que si seulement nous pouvions être plus jolies, avoir moins de taches de rousseur, avoir les cheveux plus blonds et plus fins, que si nous pouvions prêter plus souvent nos jouets, pleurer moins et dire toujours «s'il vous plaît» et «merci» — en fait que si tout simplement nous pouvions être ce que nous sommes pas — notre mère arrêterait de boire et notre père ne disparaîtrait plus pendant quinze ans. Si seulement j'étais mince...

Les boulimiques croient, dans un désir de revanche, que si elles arrivaient à être minces leur vie s'en trouverait transformée. Même celles qui ont perdu du poids à de nombreuses reprises, pour le reprendre par la suite, continuent de croire que si elles arrivaient à être minces une fois de plus — que si on leur donnait encore une chance, une dernière chance —, elles pourraient enfin être heureuses à jamais.

L'illusion du «quand je serai mince...» est pour nous sans prix. C'est grâce à elle que nous pouvons occulter nos désespoirs d'enfants et ainsi les empêcher de nous détruire. Nous avons absolument besoin de quelqu'un, de quelque chose, qui puisse endosser la responsabilité de notre souffrance.

Le problème est en effet que, si nous nous privons de cette illusion, rien ne nous protégera plus du désespoir d'une vie gâchée. En tant que boulimiques, nous avons passé des années à nous convaincre que c'est parce que nous n'étions pas minces que nous n'étions pas dignes d'être aimées. Nous sommes donc persuadées que, si nous arrivons enfin à être minces, les gens nous aimeront, notre amour nous sera rendu au centuple, et cet insupportable sentiment d'agonie perpétuelle disparaîtra dans l'instant. Sans cet espoir illusoire, nous nous retrouverions sans justification pour toutes ces années où nous avons été privées d'amour. Il est notre remède contre la douleur. Il nous permet d'excuser nos parents en nous donnant l'assurance qu'un jour — lorsque nous serons minces — notre vie sera aussi douce et agréable qu'une pluie de pétales de rose. Mais ce n'est là que la vision d'un enfant. Notre poids n'a rien à voir avec les raisons pour lesquelles nos parents nous ont battues, abandonnées ou violées. Nous ne sommes en aucune manière responsables de leur comportement. Mais nous avons préféré le croire parce qu'il nous était alors plus facile de nous punir que d'avoir à supporter sans rien dire une souffrance injustifiée. Nous n'avions pas d'autre solution.

Durant toutes ces années de régime permanent, j'étais persuadée que mon poids était la cause de tous mes problèmes. Lorsque je rentrais dans une boutique de vêtements et qu'on n'avait pas ma taille, lorsque dans une soirée personne ne faisait attention à moi, lorsque je ne savais pas quel métier je voulais exercer, lorsque je me sentais paresseuse, inutile et stupide, lorsque je me retrouvais systématiquement seule le samedi soir, dans toutes ces circonstances je croyais dur comme fer que seul mon physique était en cause. Être grosse était pour moi un moyen de réprimer ma créativité, de restreindre mes moyens d'expression, de dissimuler ma beauté. Je me disais — au fond de moi-même — que le jour où je déciderais d'être mince, ce serait là pour moi un acte symbolique, la reconnaissance publique de mon droit au plaisir, la déclaration officielle au monde — et à moi-même — que j'acceptais, après toutes ces années, de croire que j'étais digne d'être aimée.

Mais j'avais tort. La minceur n'a que les avantages de la minceur. On se sent plus légères, plus séduisantes — selon les critères de la société. Et rien de plus. La minceur ne peut — et ne pourra jamais — guérir la souffrance et les angoisses de notre enfance.

S'acharner à tomber amoureuse d'hommes mariés, de globe-trotters impénitents ou de drogués, que leurs vices soient une drogue dure, l'alcool, le travail ou le sexe, revient au même que de s'acharner à vouloir atteindre le poids idéal, croyant ainsi faire disparaître l'angoisse qui nous colle à la peau comme de la poix. L'un et l'autre ne sont que des rêves irréalisables. L'un comme l'autre impliquent un but — ou un homme — inaccessible. L'un comme l'autre sont en fait une façon de dire: «Le présent — ou le passé — sont peut-être horribles, mais ce n'est pas grave car le futur — lui — s'annonce radieux!» Ce ne sont là que des moyens de tromper la douleur. Ils nous fournissent un but — un idéal — auquel nous puissions rêver sans jamais risquer de l'atteindre.

Melissa a maintenant quarante-quatre ans. Elle est mariée et mère d'une petite fille. Elle a une bonne situation, mène une vie aisée, passe ses vacances dans son chalet — et a pour amant un homme marié. Son amant, comme jadis son père, est toujours sur le point de la quitter. Elle passe son temps à l'attendre, à attendre désespérément ce jour où il viendra l'arracher à cette vie misérable pour l'emmener avec lui et ne plus jamais la quitter. Elle est convaincue que si elle s'était mariée avec lui, elle serait maintenant heureuse, comprise et appréciée à sa juste valeur, épanouie dans sa vie de femme par une relation affective et physique équilibrée, tout comme, à l'époque, elle était convaincue qu'avec son père la vie serait formidable — une existence sans larmes, sans punitions, sans corvées.

Melissa désire aller vivre avec son amant. Lui refuse de prendre une décision. Un jour, il lui annonce qu'il va quitter sa femme et le lendemain, qu'ils devraient mettre un terme à leur relation. Melissa attend. Melissa sait attendre. Elle a attendu quinze ans avant de revoir enfin son papa chéri.

Mais si Melissa cesse d'espérer que son amant viendra un jour la chercher, elle devra alors aussi se demander pourquoi elle a dû ainsi attendre si longtemps avant que son père ne vienne la revoir. Et elle ne le peut pas. Elle a trop peur de la colère que peut éprouver une petite fille que son père a abandonnée pendant quinze ans — sans même un coup de fil — pour finalement réapparaître comme si rien ne s'était passé. Si elle arrête d'espérer, elle devra alors pleurer toutes ces années de vaines attentes, accepter de ressentir l'abandon et le désespoir de son enfance. Elle devra, pour la première fois depuis le départ de son père, affronter cette trahison qu'elle a accepté d'enfermer au fond d'elle-même en échange de la promesse qu'un jour l'homme idéal viendrait l'emmener vers un futur radieux si seulement elle a la patience d'attendre...

Melissa a récemment souffert de grippes répétées, d'infections cutanées et de douleurs articulaires. Elle a l'impression que son propre corps la laisse tomber. Elle a l'impression de s'écrouler! Je lui demande:

«Et si c'était ton corps qui essayait de te parler, que comprendrais-tu?

Elle me répond:

— Que je dois changer de mode de vie. Que je dois cesser d'attendre désespérément que Marcus (son amant) prenne enfin une décision alors qu'en fait je ne sais même pas ce que je veux vraiment. Voilà trois ans et demi que je me mens à moi-même. Cela commence réellement à m'attaquer le système.»

Cela fait plus de trois ans et demi qu'elle se ment. Elle se ment en fait depuis son enfance: à propos de sa mère, à propos de son père, à propos d'elle-même. Elle a refusé d'affronter la vérité et s'est enfermée dans un rêve. Après toute une vie passée dans le mensonge — à vouloir nier ses sentiments, ses émotions par peur de la réaction qu'ils risquaient de susciter en elle —, elle ne sait même plus ce qu'elle ressent vraiment, juste ce qu'on lui a permis de ressentir. Elle a si bien réussi à se renier, et ce depuis plus de trente ans, que seul lui restent un sentiment de vide et l'impression que la vie qu'elle mène n'est pas vraiment la sienne.

Mon amie Clara m'a raconté cette histoire à propos d'une de ses clientes. Une petite fille de huit ans, bien qu'elle était au régime depuis deux ans, avait pris, durant la même période, plus de sept kilos. Désespérée, sa mère est venue consulter Clara, qui lui a alors demandé quelle était la nourriture préférée de sa fille.

«Les bonbons, a répondu la mère.

— Très bien. Je veux qu'en sortant d'ici vous alliez en acheter assez pour remplir une taie d'oreiller. Lorsque vous aurez fait cela, donnez la taie d'oreiller à votre fille et laissez-la manger autant de bonbons qu'elle le désirera. Dès que la taie se vide, remplissez-la. Assurez-vous qu'elle soit toujours pleine. Arrêtez le régime de votre enfant et laissez-la manger ce qu'elle veut quand elle veut. Et rappelez-moi dans une semaine.»

Saisie d'horreur, la mère menaça Clara, si sa fille prenait encore dix kilos, de l'envoyer vivre chez elle. Mais une fois sortie du cabinet elle exécuta, en désespoir de cause, les instructions que Clara lui avait données.

Pendant huit jours, sa fille ne se sépara pas de sa taie d'oreiller remplie de bonbons. Elle dormait avec, la posait toujours à portée de la main — que ce soit devant la télé ou dans son bain. Bien sûr, les premiers jours elle n'arrêta pas d'y piocher à pleines poignées au point que, au bout de trois jours, la mère — qui avait dû racheter presque deux kilos de bonbons — était prête à poursuivre Clara devant les tribunaux. Elle donna à Clara un coup de téléphone hystérique, hurlant qu'elle aimerait bien savoir comment sa fille, qui n'arrêtait pas de se goinfrer, était censée perdre du poids. Clara la rassura et lui expliqua que sa fille réagissait à des années de carence affective. Dès qu'elle sera convaincue — totalement convaincue — qu'elle a le droit de manger ce qu'elle veut quand elle le veut, et que sa mère n'essaiera pas de la priver de ses bonbons, elle arrêtera de se goinfrer pour ne manger qu'à sa faim.

Le neuvième jour, la fillette laissa la taie d'oreiller dans sa chambre. Après cinq semaines, elle ne mangeait plus de bonbons et avait déjà perdu trois kilos.

Imaginer le goût des friandises est bien plus agréable que de les manger réellement. De même, imaginer que l'on est mince apporte beaucoup plus de satisfaction que de l'être réellement. Et rêver d'un homme idéal est beaucoup plus excitant que de vivre avec un homme qui ne vous aime pas.

Ayant grandi dans des familles désunies, nous passons notre vie à rechercher ce dont on nous a privées: l'amour. Parce que nous en avons été privées, nous croyons ne pas y avoir droit. Nous essayons donc de négocier ce droit avec une autorité imaginaire. Si nous ne mangeons que des biscuits de régime et ne buvons que des boissons protéinées, si nous nous torturons et nous privons suffisamment, si nous réduisons notre corps à l'état de squelette ambulant, alors — et alors seulement — pourrons-nous espérer devenir cette adorable enfant que nos parents n'ont jamais remarquée.

Nous continuons de nous comporter comme si nous étions toujours des enfants. Subissant tout en silence, attendant désespérément, prêtes à tout pour un peu d'amour, nous ne sommes pas attirées vers les gens qui sont attentionnés envers nous et préférons rechercher ceux avec lesquels nous pourrons revivre la souffrance de notre enfance.

Une femme, dans un atelier, définissait sa vie ainsi: Elle avait passé cinquante ans à essayer de s'attacher des hommes qui n'avaient rien d'autre à lui offrir que la souffrance.

Et lorsqu'ils restent — lorsque l'homme marié quitte sa femme pour sa maîtresse, lorsque la relation épisodique devient vie commune —, le rêve s'évanouit. L'homme pour lequel nous étions prêtes à mourir devient un être humain ordinaire qui fait du bruit en mangeant ses céréales et ronfle durant son sommeil. Ce ne sont pas les Ralph, ni les bourreaux de travail toujours absents, ni les hommes mariés que nous désirons. Ce que nous désirons, c'est l'amour que nos parents n'ont pas su nous donner.

Après un an de scènes chaque fois que je quittais Matt à l'aéroport, je finis par comprendre que ce n'était pas à lui que je demandais de rester, mais à mon père. J'aurais voulu que mon père restât pour me protéger de ma mère. Je m'étais sentie, après son départ, si seule et si abandonnée. Matt aurait pu rester à la maison, sans jamais sortir — ne serait-ce que pour aller à l'épicerie du coin —, cela n'aurait rien pu changer au fait que je ne m'étais toujours pas consolée du départ de mon père. Le jour où j'arrêterais de substituer Matt à mon père et accepterais de voir la réalité en face, le jour où je reconnaîtrais enfin cette souffrance — cette colère vieille de trente-cinq ans — pour ce qu'elle était vraiment, je cesserais immédiatement de faire des scènes à l'aéroport.

Rêver et désirer ce qui est interdit sont les moyens que nous avons trouvés pour faire taire la souffrance de notre passé. Il nous était utile, enfants, de déifier nos parents. Ne pouvant obtenir l'amour dont nous avions tant besoin, nous avons fini par rêver qu'un jour, et sous certaines conditions, cet amour nous serait enfin accordé et nos vies en seraient transformées. Ce besoin inassouvi et ce rêve désespéré sont alors devenus nos plus fidèles compagnons.

Le problème est que ces rêves deviennent plus forts que la réalité et finissent par nous empêcher de vivre le moment présent. Mais c'est pourtant dans ce présent, et non dans le passé, que se trouve notre futur. C'est dans le présent que nous sommes malades, que nous souffrons des départs, que nous mourons, mais aussi que nous pouvons saisir l'occasion d'ouvrir nos cœurs et de rencontrer l'amour.

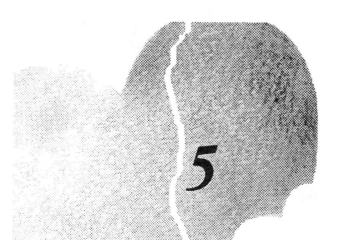

5

Succomber au faux pas

Matt et moi venons de rentrer d'un merveilleux voyage et je suis en pleine forme. Une heure à peine après être arrivée chez nous, me voilà assise, désespérée, au milieu de mes valises, vêtements, livres, documents éparpillés aux quatre coins de la pièce. Dans la cuisine, un plat que j'avais brûlé la veille de notre départ traîne encore dans l'eau sale. La montagne des projets en cours et des décisions à prendre semble infranchissable. À peine arrivée, je veux déjà repartir, m'enfuir, tout laisser en plan.

Matt, au contraire, est ravi. Lorsque je le rejoins dans son bureau, c'est pour le découvrir, au milieu de ses valises, ses affaires jetées aux quatre coins de la pièce, allongé dans son fauteuil, les pieds sur son bureau parmi ses chemises froissées, et plaisantant au téléphone avec je ne sais qui. Frigo, notre gros matou bigleux de trente-cinq kilos ronronne sur ses genoux.

«Merci, continue Matt, cela fait du bien d'être de retour chez soi. Et c'est toujours agréable d'entendre que l'on a manqué à quelqu'un.» Il me jette un regard: «Tu veux me parler?» J'acquiesce. Il chuchote: «Je suis à toi dans un instant. D'accord?»

Je ne suis pas du tout d'accord. En claquant la porte de son bureau, je me dis que je vis avec une espèce d'individu totalement inhumain, sans aucune sensibilité ni aucun sentiment. Et s'il y a bien quelque chose que je ne supporte pas, c'est quelqu'un qui peut être heureux au beau milieu des circonstances les plus dramatiques. Cela me rend folle. J'ai l'impression de revivre mon enfance, essayant d'expliquer à mon père que quelque chose ne tourne pas rond. Et lui de me répondre avec un sourire: «Mais non, ma chérie, mon ange, mon minou, tout va très bien, il n'y a aucun problème entre ta mère et moi.» Lorsque Matt me rejoint finalement, j'ai eu le temps de réveiller en moi toute la colère qui sommeillait:

«Je ne peux pas y croire! Comment peux-tu rester ainsi à bavarder, les pieds sur le bureau, comme si de rien n'était! Et le courrier? Et le jardin? Et les bouteilles à rendre? Et le plat dans l'évier? On est débordés de tous les côtés, et toi, tu t'enfermes bien tranquillement dans ton bureau pour plaisanter avec tes amis!

Matt fronce les sourcils, incrédule. Je sais qu'il va, comme d'habitude, me sortir un de ces sourires ironiques dont il a le secret. Ma mère, elle, m'ordonnait d'arrêter de lui sourire, sous peine de me dévisser la tête d'une gifle.

— Qu'est-ce qu'il y a de si drôle? Je déteste quand tu me ris au nez!

— Mais quel âge as-tu donc? me demande-t-il.

Nous avions, selon un code préétabli, convenu de ce signal pour m'indiquer qu'une fois de plus les circonstances réveillaient en moi les souvenirs douloureux de mon enfance.

Cette fois, cela ne marche pas! J'ai raison et il a tort! Un point c'est tout! Et personne ne pourra m'en faire démordre!

— C'est malin! Quel âge crois-tu donc que j'ai?

— Mais voyons, mon amour, me dit-il alors tendrement, tu oublies que je t'aime, que je suis ton meilleur ami et que je ferais n'importe quoi pour toi. Si tu te sens dépassée, pourquoi ne me le dis-tu pas tout simplement? Dis-moi ce qu'il y a à faire et je le ferai. Il n'y a pas là de quoi en faire un drame.

— Tu n'es pas mon meilleur ami!»

J'ai six ans, c'est l'été, Nancy et moi sommes assises sous la véranda de notre maison. Nous venons juste de finir une partie d'osselets. Nancy a des cheveux de jais qui tombent en boucles naturelles, encadrant délicatement son visage, et s'éparpillent sur ses épaules avec élégance. Elle me dit:

«Je suis née en avril, et toi en août. Je suis donc plus vieille que toi et j'ai connu ta maman avant toi.

J'ai l'impression qu'on m'a assené un coup de poing dans l'estomac. C'est trop injuste! C'est ma mère après tout! Comment a-t-elle pu connaître Nancy avant moi? Je regarde attentivement Nancy. Je voudrais être à sa place. J'aimerais avoir ses cheveux. J'aimerais avoir connu ma mère avant elle. Je cherche désespérément comment répliquer. Je lui rétorque finalement:

— D'accord, petite tête, tu as peut-être connu ma mère avant moi, mais si tu es plus vieille que moi, tu mourras aussi avant moi!

— C'est pas vrai! répond-elle.

— Si!

— Non!

— Si!

— Non!

— Tu n'es plus ma meilleure amie!» dis-je en m'enfuyant.

«Je ne suis plus ton meilleur ami? demande Matt. C'est incroyable la façon dont tu te tortures l'esprit! Alors même que tu as trouvé quelqu'un qui est prêt à t'aimer comme on ne t'a encore jamais aimée, tu continues à te gâcher la vie en te fermant sur toi-même!

Je voudrais lui répondre qu'un véritable ami ne resterait pas assis à bavarder dans son bureau alors que je suis perdue au milieu des plats brûlés et du courrier qui s'accumule, mais je me sens comme paralysée. Les mots s'étranglent dans ma gorge. Reprenant mon calme, je finis par articuler:

— Je ne sais plus vers qui me tourner, je me sens si abandonnée. Si je te rejette, c'est par peur d'être rejetée. Je ne pourrais pas supporter d'avoir, encore une fois, à réclamer en vain l'amour, l'attention dont j'ai besoin. Je crois que si j'arrivais à accepter le fait que tu m'aimes vraiment et que tu veux vraiment m'aider, je n'agirais plus ainsi.

— Pourquoi crois-tu tout à coup que je ne t'aime plus? Au fond de toi, tu sais pourtant bien que je t'aime. Non?»

J'acquiesce d'un signe de tête. Des sanglots s'étranglent dans ma gorge. Je sais que si je parle maintenant ce sera avec le même ton de voix étranglée que Sacha, un petit garçon de trois ans, lorsqu'il avait dit à sa sœur Sara — les larmes ruisselant sur son visage: «Tu as croqué la tête de la vache (c'était un biscuit) et maintenant elle est morte!»

Je me sens confuse et perdue, et je ne veux plus faire semblant d'aller bien. Lorsque Matt me répète ce que je viens de dire, je me rends compte à quel point cela a l'air ridicule, mais c'est pourtant ce que je ressens tout au fond de moi.

Passer ainsi de la plus totale bonne humeur au plus complet désespoir en moins de temps qu'il n'en faut pour le dire est l'un des symptômes caractéristiques de ce transfert qui nous fait voir votre vie présente à travers les yeux de l'enfant maltraitée que nous avons été.

Lorsque j'étais enfant, j'avais toujours l'impression que tout risquait de s'écrouler d'un moment à l'autre. Un jour, je demandai à ma mère:

«Pourras-tu m'aider à faire mes devoirs ce soir?

Elle répondit avec un sourire:

— Bien sûr, ma chérie.»

Mais le lendemain, lorsque je lui posai la même question, elle me hurla:

«Mais tu ne peux donc pas faire tes devoirs toute seule? Il faut toujours que l'on s'occupe de toi! Ne vois-tu pas que je suis occupée? Penses-tu jamais à autre chose qu'à ta petite personne?»

Après avoir reçu en prime une paire de gifles, je passai alors des heures et des heures dans ma chambre à essayer de comprendre ce que j'avais fait de mal. J'en conclus que je pensais trop à moi et pas assez à elle. J'en arrivais à me détester. Un soir, j'essayai même de m'arracher les cheveux. Rien n'était assez dur pour me punir d'être aussi stupide, grosse et égoïste.

Julia, au cours d'un atelier, raconta son histoire. Son père disparut lorsqu'elle avait cinq ans et sa mère décida alors de déménager à Miami pour recommencer sa vie, une nouvelle vie où il n'était pas question de parler de divorce et dans laquelle être mère célibataire était socialement inacceptable et personnellement encombrant. Sa mère mentit donc à ses nouvelles amies, leur racontant qu'elle était venue seule à Miami et qu'elle n'avait pas d'enfant. Julia ne devait pas répondre au téléphone et n'avait pas le droit de sortir en public avec sa mère. Lorsqu'elle enfreignait ce strict règlement, elle était sévèrement punie, envoyée dans sa chambre sans dîner et sans baisers. Julia grandit ainsi avec la certitude que, si elle faisait un seul faux pas, disait un seul mot de travers, commettait un seul impair, elle serait impitoyablement punie. Cinquante ans plus tard, elle essaie toujours désespérément d'être parfaite et ne peut pas se coucher sans un baiser.

Le syndrome du faux pas n'est pas une manière d'agir. C'est une manière d'être. Toutes nos paroles et tous nos gestes sont conditionnés par la menace perpétuelle que tout notre avenir dépend de la manière dont nous allons nous comporter dans l'instant présent. Une seule erreur et nous sommes condamnées. Le monde est pour nous divisé entre bien et mal, bons et méchants, noir et blanc. Il n'existe pas de gris, pas de compromis, pas de place pour le paradoxe. Il n'y a ni pitié ni passé. Demandons de l'aide au mauvais moment, répondons au téléphone — et l'on nous condamne aussitôt. Car si nous ne sommes pas parfaites, nous sommes mauvaises. Pire que ça, nous sommes des monstres. Et le jugement est sans appel.

Lorsque nous grandissons ainsi, croyant que l'on nous aime pour ce que nous faisons — ou ne faisons pas — et non pour ce que nous sommes, nous comprenons vite que notre survie dépend avant tout de notre aptitude à nous conformer à ce que l'on attend de nous. Un seul faux pas et nous sommes condamnées à mort.

Le syndrome du faux pas est la réaction à un sentiment, un événement ou une personne que nous ne pouvons pas contrôler. Tout semble aller bien et puis, subitement, tout bascule, et soudain plus rien — pas la moindre petite chose au monde — ne semble aller comme il faut. Le syndrome du faux pas consiste en fait, alors que nous sommes des adultes responsables, à nous retrouver en un instant dans la peau de l'enfant terrorisée que nous étions.

Vous vous réveillez le matin, confiante qu'aujourd'hui la balance indiquera deux kilos de moins, battant ainsi votre record de la veille de un kilo et demi. Vous enfilez un pantalon, pas le plus serré mais pas le plus large non plus. Vous pouvez le boutonner sans difficulté! Vous pouvez même glisser un pouce à la taille — ce qui est un gros progrès: La semaine dernière vous aviez dû vous y tasser, rentrant votre ventre toute la journée, respirant à peine pour éviter que le bouton ne lâche. Sans parler de l'insupportable sensation d'être écrasée au point d'avoir peur de mourir étouffée avant la fin de la journée. Vous mangez pour le petit déjeuner votre œuf poché sur une tranche de pain nu, puis votre pomme à la pause de onze heures. À midi, vous mangez un morceau de poulet grillé — sans la peau — avec trois tranches de tomate, tout en vous réjouissant de vous sentir si bien et — plus encore — à l'idée du poids que vous allez perdre aujourd'hui. Pour tenir le coup, vous vous imaginez sans cesse svelte et élégante, faisant une entrée remarquée dans une soirée. Toutes les têtes se tournent vers vous et les hommes stupéfaits en tombent de leur chaise, envoûtés par l'éclat de votre sourire, le scintillement de votre regard et la souplesse de votre démarche. Aujourd'hui, vous dites-vous, est la journée idéale pour aller faire les magasins, essayer et acheter quelques nouveaux vêtements qui seront plus à votre taille. Vous prenez donc la voiture et vous dirigez vers votre boutique favorite. Mais, à peine arrivée au premier feu rouge, vous sentez que quelque chose ne va pas. Quelque chose vous tracasse. Vous ne pouvez pas le formuler, mais, tandis que vous restez là, pétrifiée, un malaise vous pénètre lentement, de plus en plus oppressant. Vous étouffez! Vous avez de plus en plus de mal à respirer! L'angoisse vous envahit et vous ne savez comment l'arrêter! Tout plutôt que cette souffrance! Et soudain jaillit dans votre esprit l'image des éclairs au chocolat de la boulangerie qui jouxte le magasin de prêt-à-porter! Vous êtes sauvée! Vous avez trouvé le remède à votre souffrance! Vous n'allez pas mourir! Avec la froide détermination d'un tueur, vous vous garez et d'un pas mesuré vous dirigez droit au but. Vous regardez à peine l'homme aux lunettes d'écailles qui vous croise, vous ne voyez plus rien que votre objectif. Votre attention est aiguisée comme le fil d'une épée. «Je dois manger.» Vous vous retrouvez devant la vitrine et vous entendez alors commander, non pas un — mais quatre — éclairs, cinq macarons et trois tranches de gâteau aux amandes, puis, en prenant la monnaie, vous marmonnez quelque chose à propos d'une soirée. Vous sortez rapidement du magasin et marchez droit sur la voiture, ouvrez précipitamment la porte et la refermez aussitôt sur vous. Enfin! vous êtes enfin seule avec ce qui va — une fois de plus — vous sauver la vie. En un clin d'œil, et avec une frénésie incroyable, sans même respirer, vous engloutissez les deux éclairs. Rassurée, vous prenez plus de temps pour le troisième. Votre estomac est déjà plein. Vous l'entendez gargouiller.

«Et merde! tu as encore tout foutu en l'air! Et pas qu'un peu! Tout marchait si bien. Deux semaines que tu mangeais du poulet sans peau! Et tu fous tout en l'air en un après-midi! Même pas, en dix minutes! Dix petites minutes et voilà deux semaines de foutues! Dix petites minutes et voilà ta vie foutue!»

Le faux pas. Pourquoi donc êtes-vous allée à la boulangerie? Pourquoi ne pas avoir continué jusqu'au magasin de prêt-à-porter? Pourquoi ne pas avoir essayé de résister? En fait, vous saviez dès le début que vous n'arriveriez pas à perdre du poids. Ce n'était même pas la peine d'essayer. Vous sentez votre peau se distendre, votre ventre gonfler... Vous feriez mieux de laisser tomber comme vous avez toujours tout laissé tomber!

Nous mangeons comme nous vivons. Nous nous comportons de la même façon dans notre relation à la nourriture que dans notre relation à la vie. Notre obsession de la nourriture ne nous sert en fait qu'à exprimer ce que nous ressentons envers nous-mêmes. Pour la boulimique, la nourriture ne sert qu'à donner une forme à ses terreurs, à ses rêves, à ses croyances les plus profondes. Il n'est pas normal que nous nous abîmions ainsi dans un paroxysme de désespoir en nous gavant de pain à l'ail et d'éclairs au chocolat. Il n'est pas normal non plus, si nous ne bannissons pas de notre vie la nourriture que nous aimons, que nous nous sentions obligées d'abuser d'elle ou de nous-mêmes. Il n'est pas normal enfin que la nourriture soit notre seul moyen d'expression.

Je me souviens encore de la terreur que je ressentais quand j'essayais de me faufiler dans la maison lorsque j'avais peur que ma mère soit de mauvaise humeur. Je marchais sur la pointe des pieds, ouvrais et fermais les portes avec une lenteur mesurée pour les empêcher de claquer. La plupart du temps, j'allais me réfugier dans ma chambre, m'asseyais sur le tapis orange et n'osais plus bouger. Ne pas froisser de papier, ne pas aller aux toilettes, ne pas ouvrir ou fermer un tiroir... Je marchais sur une corde raide entre la sécurité et la folie et je le savais. Un seul faux pas et ma mère éclatait, hystérique, dans une colère bleue. Un seul faux pas et c'était l'enfer: les claques à pleines volées, ses ongles me lacérant les bras. Parfois, elle attrapait même mes cheveux à pleines mains et me traînait à travers la pièce. Un seul faux pas et plus rien n'avait d'importance, sinon survivre à la tempête qu'il venait de déclencher.

Rita, une femme de soixante-dix ans, décrit ainsi sa vie: «Ma mère est morte lorsque j'avais six ans. Mon père épousa la bonne. Tous deux étaient alcooliques. À sept ans, je connaissais tous les numéros de téléphone des bars de la ville. Tous les soirs, à minuit, je devais aller récupérer mon père dans un bar différent et le traîner chez nous. Il se mettait alors en colère parce que je l'arrachais à ses potes. Des fois, il me frappait sous leurs yeux, mais le plus souvent il attendait que l'on soit rentrés à la maison. Je devais même conduire la voiture, me hissant tant bien que mal sur le siège pour pouvoir apercevoir la route. Lorsque ma belle-mère l'accompagnait, c'est elle qui me frappait — plus fort. Un soir, elle me cassa même le bras.»

Une autre femme raconte que sa mère l'enfermait dans un placard chaque fois qu'elle était en colère:

«Des fois, c'était simplement parce que j'avais traité ma sœur d'idiote. Des fois, parce que j'avais osé tirer la langue dans le dos de mon père. Rien qu'à voir son visage se transformer, je savais ce qui allait se passer. Elle allait m'attraper par le col et me jeter dans le placard. Je me retrouvais seule dans le noir parmi les vêtements à demi moisis. J'y restais des heures. Une fois même, elle m'y oublia et je dus y passer la nuit, tassée entre les boîtes à chapeaux.»

Le syndrome du faux pas révèle cette fragilité qui est en nous, cette croyance que si les choses vont bien, ce n'est qu'en apparence. Notre parent — exceptionnellement — ne s'arrêtait-il pas de boire pour aller aux réunions de parents d'élèves et n'y jouait-il pas à merveille le rôle du gentil parent? Mais nous savions mieux que personne qu'il fallait toujours nous attendre au pire. Jamais une seconde de répit: Tout pouvait s'écrouler sur nous d'un instant à l'autre. Cela nous était déjà arrivé tant de fois. Mais nous ne pouvions nous empêcher d'espérer qu'un jour notre parent arrêterait de boire. Nous ne pouvions nous empêcher d'espérer qu'un jour les choses changeraient. En attendant, il fallait continuer de faire semblant que tout allait pour le mieux.

Chaque soir, après avoir éteint ma lampe de chevet, je m'agenouillais et, les mains jointes, priais: «S'il vous plaît, mon Dieu, faites que papa et maman ne divorcent pas. Bénissez Howard. Bénissez papa et maman. Mais surtout, je vous en supplie, faites qu'ils ne divorcent pas.» Chaque soir, pendant dix ans, même les soirs où ma mère partait en claquant la porte et disparaissait pour deux jours, je priais, tout en me demandant combien de temps encore je pourrais supporter une telle vie. Je me sentais sombrer. Je les voyais sombrer. Mais je continuais d'espérer, je continuais de prier: «Faites qu'ils ne divorcent pas.»

Tous les étés, au camping, était organisée une compé-
tition de lutte à la corde: les Aztèques contre les Conquistadors.
Les équipes y envoyaient leurs champions. Ceux-ci tout
d'abord se préparaient, prenant leurs marques à coups de
talon, enfilant des gants pour se protéger les mains des
brûlures. La corde, tel un serpent endormi, gisait à leurs pieds.
Puis Hal, le responsable du camp, donnait un coup de sifflet et
les équipes se saisissaient de la corde. La lutte commençait. Les
autres vacanciers — casquettes rouges pour les Aztèques,
casquettes bleues pour les Conquistadors — commençaient à
crier: «Tirez! Allez, tirez! Plus fort! Plus fort! Encore plus fort!» Le
soir venu, à la lumière du feu, vous pouviez les voir qui
commençaient à se fatiguer, glissant lentement hors de leurs
marques. Votre équipe, lentement mais sûrement, dérivait vers
la défaite. Mais vous continuiez d'espérer — même lorsque
vous voyiez Lee Rordine, un colosse, bander ses muscles et
crisper son visage pour le coup de grâce. Vous ne pouviez
vous empêcher d'espérer, de prier. «S'il vous plaît, mon Dieu,
faites qu'ils ne divorcent pas!»

Je faisais partie des Aztèques, «bâtissant mon empire» sur
le seul espoir qu'au dernier instant Lee Rordine glisserait et
laisserait tomber la corde.

Ma mère avait pour habitude de remplir le réfrigérateur
de glace Häagen-Dazs. J'étais la seule de toute l'école à avoir
en permanence dans le réfrigérateur plus de dix kilos de glace
aux divers arômes dans leurs boîtes blanches et or, ce qui
m'avait assuré une certaine renommée. France et sa sœur Mar-
garet venaient chez moi le dimanche, et nous restions toutes
les trois à contempler toutes ces boîtes: la salade au crabe, le
poulet frit, les glaces au café, à la vanille, aux raisins et au
rhum. Nous étions comme des amoureux transis devant le
corps doré de leur bien-aimée. Après quelques instants de
silence marqués de quelques déglutitions bruyantes, nous
choisissions chacune une boîte et nous dirigions vers la salle à
manger, les yeux brillants de convoitise. À chaque cuillerée, je
jubilais en silence:

«Vous voyez: Je vis dans une famille heureuse! La preuve:
Le réfrigérateur est toujours plein! Je suis comme vous.

Oui, oui, oui! Si ma maman remplit ainsi le réfrigérateur, c'est parce qu'elle m'aime! Comme toutes les mamans! Alors, qu'importe si elle n'est jamais à la maison? Qu'importe si mon papa ne parle à personne? Je ne mens pas, regardez toutes ces boîtes! Vous pouvez les toucher! C'est la meilleure nourriture qu'une maman puisse acheter à sa fille! Ma maman est une bonne maman, une gentille maman! Personne ne peut dire le contraire! Une mère qui achète tant de Häagen-Dazs à sa fille ne peut pas l'abandonner! S'il vous plaît, mon Dieu, faites qu'ils ne divorcent pas!»

Cette apparence de bonheur était aussi mince que la glace d'un étang au printemps. De la colline, vous pouviez passer des heures à vous imaginer patinant sur sa surface immaculée, mais quand venait le moment de la tester du pied, elle cédait dans un gros bouillonnement sombre. Ma vie n'était qu'une mince couche de réalité sur le point de céder: «Ma mère est une bonne mère et nous sommes une famille heureuse.» Je mentais à mes amies et je me mentais à moi-même. Et j'avais fini par croire à mes mensonges.

Plus je mentais et plus je me sentais fragile. Plus je mentais et plus je risquais de voir mon univers, bâti sur des mensonges, s'écrouler au moindre faux pas. Je m'enfoncerais alors dans un désespoir sans fond que je refusais de reconnaître. Plus mon univers s'écartait de la réalité et plus je devenais vulnérable. Plus j'essayais de me convaincre que je n'aimais pas le chocolat ou que je pouvais passer le reste de ma vie sans toucher à un gâteau, plus j'avais tendance, au moindre commentaire sur mes cheveux, sur mes vêtements — et même sur le mauvais temps —, à sombrer dans une crise de boulimie irrépressible. Avoir voulu désespérément croire pendant des années que le départ de ma mère ne m'avait pas affecté me rendait de plus en plus intolérables les départs de Matt.

Le syndrome du faux pas n'est en fait que le résultat d'une vie passée dans un univers de mensonge.

J'avais dix-sept ans lorsque, pour la première fois, j'essayai de parler à quelqu'un. Nous nous étions arrêtées, mon amie Penny et moi, dans un café. J'avais commandé un café malté Weight Watchers et je jouais du bout du doigt avec les miettes qui traînaient sur le comptoir. Ma mère était rentrée à quatre heures du matin, mon père était parti à six. J'aurais voulu le secouer par les épaules et lui hurler de réagir. J'aurais voulu traiter ma mère de «femme adultère», lui dire qu'elle enfreignait les dix commandements. Mais j'avais décidé qu'il valait mieux d'abord en parler à Penny et lui demander son avis. Penny était la seule amie que je connaisse dont la mère était divorcée, et je pensais donc qu'elle devait s'y connaître un peu dans ce qui touchait à l'adultère.

Lorsqu'on nous servit, je commençai:

«Ta mère trompait-elle ton père lorsqu'ils étaient mariés?

— Non, fit-elle de la tête en avalant un énorme cornichon.

Cela n'allait pas être facile. Je tripotai ma salade du bout de la fourchette, ôtant un bout de carotte qui y était arrivé on ne sait trop comment.

— Mais alors, pourquoi ont-ils divorcé?

— Je n'en sais rien, moi... Je suppose qu'ils n'étaient pas heureux ensemble.

— Est-ce que ta mère te battait?

— Non, répondit-elle pour aussitôt enchaîner: As-tu vu la nouvelle petite amie de Richard Etra? Elle va au collège de Roslyn, elle est en dernière année. Sue m'a dit qu'elle l'a vue rentrer en voiture avec un garçon. Et je ne t'en dis pas plus... Ne trouves-tu pas ça incroyable!

— Je crois que ma mère a un amant, dis-je dans un souffle.

— Ne sois donc pas si stupide! Je n'ai jamais entendu quelque chose d'aussi bête!

— Ouais, tu dois avoir raison», murmurai-je en me remettant à manger ma salade.

Je passai donc les dix-huit années suivantes à mettre au point les deux outils qui devaient assurer ma survie: minimiser

— ou mieux — nier l'existence de toute souffrance. Lorsque j'allai en Inde, je découvris la réincarnation et l'idée que l'on pouvait choisir ses parents. Je me convainquis alors que j'avais grandi dans une famille où j'étais brutalisée par des parents alcooliques pour que mon âme puisse en être fortifiée. Je pardonnai à ma mère et mon père devint mon idole. Tout était pour le mieux jusqu'à ce que je rencontre Matt et que je me retrouve à zéro. J'étais restée au fond de moi-même une enfant abandonnée, seule face à ses souffrances. Chaque fois qu'il partait en voyage, chaque fois qu'il se mettait en colère, ma langue se pétrifiait au moment de prononcer ces paroles qu'elle retenait depuis près de vingt ans:

«Ne me quitte pas! J'ai si peur que tu ne reviennes pas! Reste avec moi! J'ai besoin de toi! Ne te fâche pas contre moi! J'ai l'impression que tu vas me tuer!»

Le syndrome du faux pas se manifeste lorsque quelque chose ou quelqu'un réveille en nous ce que nous n'avons jamais voulu nommer. C'est le changement subit qui nous accapare lorsque remontent tous ces sentiments, ces émotions refoulées et niées qui nous envahissent comme un essaim de guêpes — avec un vacarme tel que nous croyons en devenir folles. Oubliant notre réalité d'adultes, nous nous laissons alors guider — posséder — par nos terreurs d'enfants.

Au cours d'un atelier que je dirigeais à Chicago, je demandai aux participantes de décrire leur enfance par un ou deux mots clés. Voici, dans le désordre, les réponses que j'obtins: *déchirée, déchiquetée, abandonnée, rejetée, sinistrée, éplorée, sans intérêt, brutalisée, atomisée, tourmentée.* L'atelier portait sur les problèmes de boulimie, pas sur les familles à problèmes, sur l'inceste, sur l'alcoolisme ou sur les mauvais traitements!

Je dirige des ateliers depuis douze ans. La plupart des gens que j'y rencontre, plusieurs milliers chaque année, décrivent leur enfance exactement selon les mêmes termes. Je ne dis pas cela pour rejeter la faute sur les parents, mais pour offrir une explication au comportement infantile de ces adultes. Lorsque votre enfance a été un enfer et que vous ne vous êtes jamais donné la chance, afin de les soigner, de pleurer les blessures qu'elle vous a causées, vous continuez de vivre votre vie dans une perpétuelle souffrance. Pour vous, la vie n'est que danger, sans personne sur qui compter. Et lorsque quelque chose ou quelqu'un vous attire, vous ne pouvez vous empêcher de penser que c'est un piège, que cela ne peut être vrai. Vous préférez vous enfuir. Il y a trois ans, je notais dans mon journal: «Lorsque je me sens heureuse, je me dis toujours que cela ne peut pas durer.»

Lorsque nous regardons le monde avec une vision brouillée, nous ne pouvons plus voir les choses telles qu'elles sont. Nous continuons à voir le monde à travers nos yeux d'enfants catastrophées. Et quoi qu'il arrive — que nous rentrions de voyage et que le plat soit brûlé ou que nous nous gavions de pizza sans raison —, nous réagissons sous le coup d'un désespoir et d'une colère qui sont plus que centenaires. Le plat est brûlé, notre mère nous a abandonnées, notre père nous bat, notre amant nous lance une poêle au visage, nous sommes jetées en prison au cours d'une manifestation, des milliers de dauphins sont massacrés pour notre salade au thon, nous avons perdu le concours d'orthographe parce que Ricky Petosa nous a pincé les fesses. Ce n'est pas qu'un faux pas mais des milliers de chutes accumulées que nous subissons à chaque instant, une douleur tellement insupportable que nous ne pouvons lui imaginer d'autre issue que la mort dans des souffrances atroces. Il suffit d'un seul faux pas et toutes ces trahisons, toutes ces rancunes silencieuses, tous ces rêves tués dans l'œuf, toute cette horreur d'avoir à vivre avec un père ou une mère que l'on doit materner, ressurgissent. Un seul faux pas et nous sombrons, sans espoir, dans les sables mouvants de tous ces autres faux pas accumulés.

Nous nous retrouvons coupées en deux: l'enfant pour qui tout est douleur et l'adulte qui le regarde sans comprendre. L'adulte responsable et pondérée doit subir cette enfant écorchée vive qu'un rien terrorise, qui réclame tout le temps de l'affection et qui tout d'un coup se met à hurler au milieu d'une assistance consternée. Cette enfant a été tatouée à vie du sceau de la souffrance — marquée à jamais au fer rouge. Lorsque quelqu'un veut nous connaître, nous sommes terrorisées, car nous savons que, tôt ou tard, nous ferons un faux pas et que l'enfant qui se cache au fond de nous, dans un hurlement de douleur, réapparaîtra au grand jour. Nous sommes comme un oiseau qui, n'ayant pas appris à voler, est à la merci de la moindre menace.

Nous ne pouvons nous défendre: Un éclair au chocolat est plus fort que nous!

Le syndrome du faux pas est le résultat de tous ces événements refoulés, minimisés, sur notre vie présente. Nous devons donc retraverser tous ces combats de notre passé pour gagner le droit de vivre notre présent en paix. Les traverser, pas les enjamber, ni les contourner, ni les survoler. Nous devons oser parler, ressentir, pleurer, éclater de colère, rire, et avant tout être d'une impitoyable honnêteté envers nous-mêmes et envers notre passé. Ainsi seulement pourrons-nous exorciser ce passé. Ainsi et pas autrement. Lorsque nous engouffrons une pizza surgelée parce que quelqu'un au travail nous a dit que nous semblions avoir pris quelques kilos, n'essayons pas de nous convaincre — de convaincre notre mère ou la responsable des Weight Watchers — que nous n'arriverons jamais à perdre du poids et que nous serons toujours grosse et laide. Nous avons mangé une pizza surgelée, un point c'est tout. Lorsque nous nous disputons avec notre compagnon et qu'il nous traite d'égoïste, cela ne donne pas pour autant raison à notre mère qui nous traitait de monstre incapable d'aimer. Cela veut seulement dire que notre compagnon est en colère. Lorsqu'il se sera calmé, il nous appellera à nouveau «mon minou».

6

Faire le deuil du passé

Je suis assise, en compagnie de Rose et de Deborah, dans l'un des salons de l'hôtel *Le Baron* à San José. Il est deux heures du matin et je pèse vingt-cinq kilos de plus que mon poids habituel. Je n'ai jamais été aussi grosse. Cela fait trois semaines que j'ai arrêté tout régime et que je n'arrête pas de me nourrir exclusivement de chocolat — sous toutes ses formes. Je suis terrorisée à l'idée de finir par peser plus de cent kilos si je continue à manger ainsi. Ma décision de me faire confiance semble se transformer en une dégoûtante orgie de nourriture qui ne semble pas vouloir connaître de fin. Me convaincre ainsi que je pouvais manger ce que je voulais se révèle être le plus sale tour que je me sois jamais joué.

Rose commande une salade grecque, Deborah du poulet grillé accompagné de courgettes. Je commande un gâteau au chocolat avec de la glace à la vanille et un nappage au caramel.

Lorsque le serveur dépose le gâteau devant moi, Deborah éclate:

«Je n'arrive pas à en croire mes yeux! Regarde-toi! Tu n'as jamais été aussi énorme et tu veux manger ça! J'en ai presque envie de vomir!»

Je ne suis qu'une masse informe et honteuse. Je voudrais disparaître en fumée, mais je voudrais aussi dévorer la table. Avec mes doigt boudinés et mes mollets comme des jambons, je me dégoûte. Par-dessus tout, je déteste Deborah, car elle a raison: Tout cela est dégoûtant. Je suis dégoûtante.

Le silence devient pesant. Je ne sais quoi répondre. Inutile de lui expliquer que manger ainsi des gâteaux avec de la glace à deux heures du matin est la seule solution que j'ai trouvée pour perdre du poids et je ne peux quand même pas lui dire d'aller se faire foutre. Jamais je n'ai osé dire une telle chose à personne.

Je suis assise à la table des enfants de l'hôtel *Grossinger* dans les monts Catskill. Le serveur vient prendre nos commandes. Geri choisit un steak haché avec de la purée, Ricky un hamburger et Donald un poulet frites. Rien ne me plaît sur le menu si ce n'est les légumes. Je commande donc une assiette de crudités. Mais lorsque le serveur dépose l'assiette devant moi, tous commencent à hurler: «Beurk, des crudités! C'est dégoûtant!» Je retourne alors mon assiette et demande un steak haché.

Deborah attend toujours ma réplique. Je prends ma respiration, lève mes yeux de la boule de glace qui commence à fondre et la regarde droit dans les yeux. Elle se raidit, prête au combat. J'attaque:

«J'ai décidé de ne plus faire de régime. Je me suis donné une année pour manger tout ce que je veux sans me priver, et surtout sans culpabiliser.»

Elle s'étrangle. Sa réponse fuse. Sa voix bourdonne dans mes oreilles, mais je n'écoute plus. Je me fiche de ce qu'elle pense. Je dévore tranquillement le gâteau et la glace. Et en rentrant chez moi, je mange encore une tartine au beurre de cacahuète, un bol de céréales et une banane. Si j'arrive à ensevelir ma honte sous la nourriture, peut-être ne la ressentirai-je plus?

Durant la première année de cette expérience, il ne se passa pas un jour sans que je me demande si j'étais devenue folle. Toutes les personnes que je connaissais suivaient un régime. Lorsque j'annonçai à l'animatrice des Weight Watchers que je prenais un an de congé sabbatique, elle me rétorqua: «Se nourrir intelligemment et surveiller tout ce que l'on mange sans jamais relâcher son attention: Il n'y a que cela qui marche.» J'acquiesçai d'un hochement de tête, fixant des yeux sa blouse de soie transparente, son maquillage soigné. J'aurais voulu qu'elle me rassure! J'aurais voulu qu'elle admire mon courage! J'aurais tout simplement voulu qu'elle me souhaite bonne chance...

Je pris cinq kilos les deux premiers mois, moins de deux le mois suivant. Au bout de quatre mois, mon poids était stabilisé et, à la fin du cinquième mois, restait stable à sept kilos au-dessus de ce qui avait été jusque-là mon maximum. Mais je n'arrivais toujours pas à décider si c'était là un franc succès ou un total fiasco. D'un côté, je n'aurais jamais cru — trois mois plus tôt — pouvoir manger ce que je voulais sans prendre un kilo, ne serait-ce que momentanément. D'un autre côté, j'étais grosse, alors quelle différence cela pouvait-il faire de prendre ou non un kilo de plus?

En un an et demi, je passai de la taille deux à la taille seize et devins de plus en plus difficile vis-à-vis de la nourriture. Si j'allais dans un restaurant et que je n'y trouvais rien qui me mette en appétit[1] — quelque chose qui me fasse envie sans que je le voie, que l'on m'en parle ou que je le goûte —, je partais immédiatement. Un soir où je devais dîner avec Rose, nous dûmes faire quatre restaurants avant que je trouve quelque chose qui me satisfasse. Quand le pain grillé arrivait froid sur la table, je le renvoyais à la cuisine pour qu'on le réchauffe. Quand j'allais dîner avec mon père, je commandais une citronnade chaude. Lors d'une visite chez ma mère, je ne mangeai pour le petit déjeuner que de la glace au café. Pour la première fois de ma vie, je pouvais demander ce que je voulais et ne donnais à personne le droit de m'interdire quoi que ce soit. Les gens ne savaient plus comment me parler ni même quoi me dire. Personne ne comprenait ce que je faisais.

Moi, si.

Le 16 mai 1980, après cinq mois sans régime, j'écrivais:

«Je suis en train de me déconditionner de vingt-huit ans de lavage de cerveau: vingt-huit années pendant lesquelles on m'a fait croire que mon appétit ne connaissait pas de limites et que je devais me surveiller sans cesse afin de le contrôler. Je ne suis pas molle, je ne suis pas un gouffre. Je n'ai aucune raison d'avoir peur de moi-même. Je peux

---

1 • Pour tout ce qui touche à la manière dont on peut apprendre à reconnaître les plats qui nous mettent en appétit, qui nous mettent l'eau à la bouche, se reporter à *Breaking free from compulsive eating*, Signet, New York, 1984, pp. 35 à 37.

— et je veux — me faire confiance. J'ai le droit de choisir ce qui est bon pour moi et de refuser le reste. Je suis digne d'être aimée et je suis capable d'aimer. Je dois me faire confiance, pour la nourriture comme en amour.»

Lorsque j'essayais d'expliquer cela à mes amies, et en particulier à celles qui suivaient un régime, j'avais l'impression de parler à des sourdes.

Il y a de cela quelques semaines, Matt me raconta que, lorsqu'il était enfant, sa mère lui avait fabriqué des chaussures.

«Fabriqué des chaussures? Mais pour quoi faire?

— J'avais des pieds très larges, comme tout le monde dans la famille. Elle avait entendu parler des chaussures de l'espace de Murray. Elle décida donc de faire comme lui. Elle fit des moulages de nos pieds qu'elle utilisa ensuite comme gabarit. Je me souviens encore de la première fois où je suis sorti avec ces chaussures. J'avais l'impression d'avoir des ailes!»

Sa mère lui avait fabriqué des chaussures.

Sa mère invitait chez elle les membres du club d'échecs pour que Matt sache que ses amis étaient toujours les bienvenus.

Lorsque son meilleur ami Kenny se fit arracher ses dents de sagesse, il voulut venir en convalescence chez Matt pour que sa mère prenne soin de lui et lui prépare la crème anglaise dont il raffolait.

Sa mère lui a appris à faire la cuisine. Quand il était au collège, ils n'arrêtaient pas de s'échanger des recettes par la poste. Par les froides soirées d'hiver, il se souvient encore de la recette de *borscht* qu'elle lui avait alors donnée.

Le seul drame dont se souvienne Matt est la nuit où, à trois ans, il est tombé dans la cuvette des toilettes. Ses parents recevaient et il dut hurler de toutes ses forces — pendant une demi-heure — pour que quelqu'un vienne enfin le tirer de là.

Je n'arrive même pas à imaginer ce que peut avoir été son enfance: une mère qui vous fabrique des chaussures sur mesure!

Et Matt de son côté ne comprend pas non plus comment il peut en être autrement.

Lorsque je lui parle de la souffrance qu'évoque en moi mon enfance, quand j'essaie de lui expliquer les drames de ma vie, ma panique, mes obsessions, il acquiesce et essaie de me consoler. Mais je sais qu'il ne peut pas vraiment comprendre et ne le pourra jamais.

Dans mes ateliers, j'explique aux participantes que nous devons retourner dans notre passé afin de nous dégager de la souffrance qui nous y paralyse et de découvrir ce que cache réellement notre boulimie. Je leur explique aussi que nous devons identifier la profonde blessure qui en est la cause afin de pouvoir ensuite nous dégager de ce carcan que nous nous sommes imposé. Je me rends alors compte — à leurs réactions de refus parfois violentes — que je viens de toucher là quelque chose d'extrêmement douloureux mais dont elles n'ont pas encore réellement pris conscience.

«De toute façon, c'est trop tard, gémissent-elles, nous sommes trop vieilles. Est-il vraiment utile de continuer ainsi à ressasser ce qui nous est arrivé lorsque nous étions enfants?»

Oui, c'est utile. Il est nécessaire de parler et de définir ce dont nous voulons nous libérer.

Ma mère.

Elle n'eut que des *A* durant toute sa scolarité jusqu'au jour où — elle ne se souvient plus pourquoi — elle se désintéressa complètement de l'école. Elle se désintéressa en fait de tout, surtout d'elle-même. Je la questionnais pour essayer de comprendre ce qui était arrivé.

«T'est-il arrivé quelque chose de particulier cette année-là?

— Non, rien dont je me souvienne.

— Maman, as-tu jamais été violentée?

— Oui.

— Oui? En as-tu jamais parlé à quelqu'un? En as-tu parlé à ta mère? Que s'est-il passé?

— Non, je n'en ai jamais parlé à personne. Mais il n'y a pas de quoi en faire toute une affaire. Cela s'est passé il y a si longtemps. Et puis ce qui est fait est fait.

— Mais que s'est-il passé?

— Nous vivions dans un vieil immeuble du Bronx et mon cousin Arnold habitait l'appartement en dessous du nôtre. Il venait nous voir le dimanche et chaque fois m'enfermait dans la salle de bains en me demandant de le masturber. Il me fit jurer de ne jamais en parler à ma mère. Elle n'en a jamais rien su. De toute façon, il était de la famille et elle ne m'aurait jamais crue.

— Mais, maman, cela a dû être terrible pour toi! Tu as dû te détester, tu as dû te sentir sale, mauvaise!»

Nous sommes assises dans ce qui fut ma chambre à coucher, l'endroit même d'où j'appelais Penny Lithgow pour planifier les nuits — parfois plus de vingt par mois — où je me débrouillais pour aller dormir chez elle. Je n'aimais pas ma chambre. Elle était décorée d'un tapis avec des fleurs orange, d'une grande penderie de bois sombre et d'étagères en aluminium. J'aurais voulu de la dentelle et des rubans. J'aurais voulu des meubles blancs et un lit à baldaquin: une vraie chambre de jeune fille!

Elle est maintenant devenue la pièce principale, avec un somptueux tapis couleur sable et des portraits de famille aux murs. Sur une photo, une jeune fille blonde aux yeux pleins d'espoir sert contre elle un diplôme. Un an plus tard, elle épousait mon père.

Voilà cinq ans, ma mère a fait abattre un mur de ma chambre pour y installer une baie vitrée. Plus rien de moi ni de mon désespoir ne souille maintenant cette pièce. Elle est devenue le cœur de la maison: l'endroit où l'on vient discuter, faire la sieste, lire. On s'y sent bien. On reçoit dans le salon, on mange dans la salle à manger, mais on vit ici.

Ma mère et moi sommes assises dans des fauteuils recouverts d'un tissu beige, nous nous faisons face. Derrière elle, une jungle de plantes vertes. Une fleur de *spathefillum* essaie désespérément de s'extraire de la masse des feuilles lustrées.

Elle réfléchit en silence aux conséquences que cette expérience a eues sur sa vie.

Lorsqu'elle parle de son enfance, ma mère reprend la pose de petite enfant timide qu'elle était: jambes croisées, joues écarlates, yeux baissés.

«Je suppose que cela a dû avoir des conséquences, mais franchement je ne m'en rends pas compte... Ce dont je me souviens surtout, c'est que je me sentais terriblement seule à l'époque... J'essayais désespérément d'être une bonne petite fille. Quand je rentrais de l'école, il n'y avait jamais personne à la maison. Ma mère était vendeuse. Alors, j'allais dans la cuisine et je mangeais. De grosses tranches du pain noir que faisait ma grand-mère. Je me désintéressais de l'école, mais personne ne le remarqua. Ma mère s'en prenait toujours à ma sœur. Puisqu'elle était la mauvaise fille, je voulais être l'enfant modèle: Je ne disais jamais de gros mots, je faisais tout ce qu'elle me demandait, mais elle ne le remarquait même pas. Je me sentais si seule et je ne supportais pas d'être pauvre. On n'avait jamais assez d'argent, jamais assez...»

Jamais assez d'argent, jamais assez à manger, jamais assez d'amour.

Jamais assez d'amour.

Elle épousa donc le premier garçon qui fit un peu attention à elle, un garçon qui ne sut jamais lui donner l'amour dont elle avait tant besoin: mon père.

«Je ne me rendis même pas compte que j'étais malheureuse jusqu'à ce que j'eusse trente ans. Ce fut alors le choc: Je vivais avec un mari qui était toujours absent et deux enfants qui me réclamaient sans cesse. J'étais vidée. La seule chose que je désirais était de me débarrasser de cet insupportable sentiment de solitude qui ne m'avait jamais quittée. J'étais prête à tout pour m'échapper. Tu vois, cela n'a aucun rapport avec toi.

Nous pleurons toutes les deux. Je dis tout d'abord: «Oui...» d'un signe de tête, puis me ravise et, secouant vigoureusement la tête, je fais: «Non!»

— Je peux le voir maintenant, maman, mais comment voulais-tu que je comprenne tout cela à l'époque?

— Je ne t'ai même pas vue grandir. Je ne me souviens même plus de cette époque. Je survivais en me gavant de somnifères la nuit et d'amphétamines le jour. Je buvais. Et puis il y eu l'accident...»

Le fameux accident. Nous sortons du restaurant. Mon père est en train de payer l'addition. Nous l'attendons, ma mère et moi. Elle s'appuie sur une voiture. Ron Macaluso, dans sa nouvelle Thunderbird argentée, se dirige vers la voiture sur laquelle est appuyée ma mère. Il ne la voit pas et lui rentre dedans, écrasant ses jambes. Elle hurle. Son cri pénètre mon corps comme une lame d'acier effilée. Elle s'écroule. «Maman! Maman! Ça va?» «Appelle une ambulance», gémit-elle.

Je l'accompagne à l'hôpital, je n'arrête pas de lui parler. J'ai peur que, si j'arrête, elle ne meure dans l'instant.

«Elle est en état de choc, disent les médecins, mais elle s'en sortira. Elle n'a pas la jambe cassée, juste quelques contusions.» De mauvaises contusions qui mettront un an à guérir.

Ce fut l'année où nous déménageâmes. Ce fut l'année qu'elle passa sous somnifères. Ce fut l'année où, tous les dimanches après-midi, elle se traînait hors du lit et suppliait mon père de l'emmener faire un tour. Quand elle en parle aujourd'hui, elle prétend que mon père refusait. Je ne me souviens plus. Je ne me souviens que du papier peint d'un vert terne avec des motifs de velours dorés, de l'odeur inconnue, la nuit, de notre nouvelle maison et de ma mère dans sa robe de chambre rose, réclamant un verre de jus d'ananas, prête à tout pour un peu d'attention.

À l'école, j'étais la nouvelle. Une ancienne, du nom de Betty, s'en prit à moi. Je rentrais de l'école en courant car elle me poursuivait, faisant mine de vouloir m'étrangler. Je me précipitais dans la maison, le cœur battant. J'avais le sentiment d'avoir fait quelque chose de mal et que Betty voulait me punir. La seule chose que j'entendais alors était ma mère réclamant son jus d'ananas: «Genie? Genie? Mon jus d'ananas, s'il te plaît!»

J'aurais voulu pouvoir lui parler de Betty. J'aurais voulu pouvoir lui parler de Ron Adelman, de Bobby Wilner et de Robert Ostropopper, qui, chaque fois qu'ils me croisaient, s'amusaient à se gonfler les joues en se dandinant pour se moquer de moi. Le samedi soir, lorsque j'étais seule avec Howard, ils venaient encercler la maison, me criant de les laisser entrer. J'étais terrorisée. Je jetais un coup d'œil par la lucarne de la salle de bains pour voir s'ils étaient partis, mais ils étaient juste là — sous la fenêtre — à me hurler des choses horribles. Je savais que, si j'avais été jolie et mince, jamais ils ne m'auraient traitée comme cela. Mais j'étais laide, grosse et stupide. J'aurais voulu parler à ma mère, mais elle était perdue, loin de tout, dans son propre cauchemar. Il n'y avait plus de place dans sa vie pour personne. Sa souffrance était tout.

«Tu n'étais pas là, maman. J'avais tellement besoin de toi et tu n'étais jamais là.

— Je sais... Je regrette, ma chérie. Je ne peux rien dire de plus. Après l'accident, quand je pus finalement marcher, la seule chose à laquelle je pensais était de m'enfuir. Mais je n'avais pas le courage de demander le divorce. Ma mère m'avait suppliée à genoux de ne pas faire une chose pareille. Je restais donc avec votre père, mais j'étais désespérée et prête à tout.»

On m'a privée d'une enfance heureuse et de tout ce que cela implique: amour, sentiment de compter pour quelqu'un, acceptation. On me l'a refusée et je ne peux rien y faire. Je me suis battue vingt ans contre cette réalité. En vain, car se battre n'est pas guérir. Guérir, c'est bien autre chose.

Le premier pas vers la guérison est d'accepter la vérité. En acceptant la vérité, nous acceptons de reconnaître ce qui nous fait mal. Le reconnaissant, nous nous donnons le droit de le pleurer. Et en le pleurant, nous nous permettons enfin de nous en détacher et de nous défaire de cette image de nous que nous avions créée en réaction à ce que l'on nous a fait subir. Nous pouvons alors enfin profiter pleinement du présent plutôt que de revivre sans cesse les souffrances de notre passé.

Aussi longtemps que nous nous accrocherons à notre boulimie, notre vie ne tournera qu'autour de ce que nous mangeons, du poids que nous pesons, et des joies que nous nous promettons si nous arrivons à maigrir. Notre souffrance nous semble liée à la nourriture, à notre manque de volonté, à notre désir irréalisable de satisfaire une certaine image, mais tel n'est pas le cas. Et si nous ne découvrons pas quelle est la véritable cause de notre souffrance, jamais nous ne pourrons nous en défaire.

Matt et moi sommes allés voir *Des gorilles dans la brume,* le film sur la vie de Dian Fossey et son travail révolutionnaire avec des gorilles. Lorsque les braconniers ont massacré les gorilles pour les vendre en trophée à des hommes d'affaires, j'ai pleuré si fort que Matt m'a prise par les épaules pour me réconforter: «Ce n'est qu'un film, Geneen, ils ne tuent pas vraiment les gorilles.» Mais lorsque, ensuite, des hommes sont arrivés pour emmener le bébé gorille au zoo, et que celui-ci s'est mis à gémir alors qu'on l'enfermait dans une cage, j'ai éclaté en sanglots et demandé à Matt de partir sur-le-champ.

Ils étaient sans défense. Je ne pouvais supporter de voir une telle chose, je savais trop ce qu'ils ressentaient.

Mon frère Howard raconte:

«Quand je compris ce qui se passait dans la famille, je me dis qu'il n'y avait rien à faire, que c'était au-dessus de mes forces. Je décidai alors de me protéger. J'ai l'impression d'avoir vécu pendant vingt ans sous novocaïne, complètement insensible au monde extérieur.»

Moi pas. Lorsque je vis ce qui se passait chez nous, je remontai mes manches en me disant:

«Je peux arranger cela! Je peux rendre mes parents heureux! Si je suis assez gentille, si je mens à mon père pour protéger ma mère, et à ma mère pour protéger mon père, si je leur cache à quel point je souffre, je pourrai avoir la famille dont je rêve. Je ne dois pas désespérer! Je vais être si gentille que mes parents vont devenir des parents idéaux. J'y arriverai! Je ne m'arrêterai pas avant d'y être arrivée!»

Et c'est ce que je fis. Lorsque ma mère me hurlait dessus, s'en allait à trois heures du matin habillée pour son amant dans un fourreau de velours rouge et empestant le glaïeul plus qu'une couronne funéraire, j'enfermais aussitôt mes sentiments, mes émotions, à double tour, tout au fond de moi-même derrière des murs si épais que personne — pas même moi — ne pouvait les entendre hurler. Je pouvais supporter de souffrir pour ce que j'avais fait, mais je ne voulais plus supporter la souffrance que les autres m'infligeaient. Je ne devais plus me laisser toucher — être triste, en colère, ou me sentir seule — par des événement sur lesquels je n'avais aucun pouvoir. Je ne me permis donc plus que les sentiments, les émotions que je pouvais contrôler et qui étaient acceptables pour mes parents.

Plutôt que d'accepter le désespoir d'être la fille d'une femme à la dérive, je préférai croire que mon désespoir provenait de mes problèmes de poids. Mon besoin d'être rassurée, réconfortée, choyée, tout cela devait être refoulé. Plutôt que d'accepter l'horreur d'un père qui refusait de voir le désespoir de sa femme et ne s'occupait jamais de ses enfants, je préférai me tuer à lui trouver des excuses et à protéger sa tranquillité. «Il travaille si dur. Ma mère est une mauvaise femme et le fait souffrir. Il m'aime plus que tout au monde.» Tuer la vérité.

De ma mère j'appris l'hystérie et de mon père le refus de la vérité. Je devins hystérique dans ma façon de manger et d'exprimer mes sentiments et mes émotions, tout en refusant de voir ce qui n'allait pas. L'hystérie et le refus furent pour moi les armes dont j'avais besoin pour affronter la réalité. Je n'avais en effet aucun espoir de m'enfuir. Je ne pouvais ni changer de parents ni quitter la maison. Je devais donc me battre avec ce que j'avais et survivre par tous les moyens.

Le problème n'est pas que je me sois ainsi défendue lorsque j'étais enfant. Je n'avais alors pas d'autre choix. Le problème est que je continue de me défendre de la même manière aujourd'hui alors que je suis maintenant une adulte responsable.

À l'abri de ces armes à double tranchant que sont l'hystérie et le refus, se cache la cause profonde de notre comportement obsessionnel. La boulimie n'est qu'une reconstitution symbolique de la façon dont nous avons réprimé nos sentiments et nos émotions. Nous les avons avalés, puis nous nous sommes punies pour notre impuissance à dominer notre faim d'amour. Aucun châtiment n'était assez dur pour nous. Tant que nous persisterons ainsi à vouloir croire que la nourriture est notre seul problème, nous ne pourrons guérir ces blessures dont la souffrance insupportable nous a rendues hystériques.

Quel est le plus effrayant sentiment, la plus effroyable émotion que vous puissiez imaginer ressentir?

Quel sentiment, quelle émotion vous est le plus intolérable?

Quels pactes silencieux avez-vous passés avec votre famille? Quelles vérités avez-vous été contraintes d'occulter?

À qui pouviez-vous parler? Sur qui pouviez-vous compter?

Qui s'occupait des autres dans votre famille?

Que vous arrivait-il lorsque vous faisiez une erreur?

Voilà les questions que vous devez vous poser.

La plupart d'entre nous s'y refusent car cela signifierait pour elles revivre la souffrance de ces moments qu'elles ont voulu à jamais oublier. Pourquoi donc devrions-nous revivre ces horreurs? Nombre d'entre nous sommes persuadées que nous n'arriverons jamais à manger, à vivre, à aimer normalement. Nous avons cru si longtemps que personne ne pouvait nous comprendre. Nous nous croyons différentes des autres, mais nous ne nous connaissons pas vraiment. Nous avons perdu tout espoir car nous ne pouvons même plus comprendre ces questions. Nous nous sommes trop longtemps protégées contre les souffrances de notre enfance et préférons attendre que quelqu'un vienne nous guérir sans rien avoir à faire.

Nous sommes des adultes, mais nous continuons de nous battre pour ce que l'on nous a refusé étant enfants. Nous voulons que quelqu'un vienne être les bons parents que nous n'avons pas eus. Il devra nous aimer et prendre soin — sans prendre jamais un instant de répit — de l'enfant que nous sommes restées.

❤ ❤ ❤

On nous a privées de quelque chose d'essentiel: le droit de vivre notre vie avec l'assurance que nous étions dignes d'être aimées. Ce droit élémentaire nous a été refusé et nous devons maintenant nous battre pour ce droit que d'autres se sont vu accorder sans même avoir à le demander.

Nos parents étaient responsables de nous lorsque nous étions enfants, mais personne ne l'est plus maintenant que nous sommes adultes. Personne ne peut prendre la responsabilité que nos parents ont refusée: ni notre mari, ni notre meilleure amie, ni un professeur, ni un psychanalyste, ni un groupe. Personne sauf nous. Nous sommes la seule personne qui puisse nous accorder l'amour inconditionnel, l'attention constante, la sécurité vitale dont nous avons besoin. Nous — et nous seules — pouvons faire cela.

Lorsque ma mère rencontra Dick, l'homme avec lequel elle vit depuis dix-huit ans, sa vie passa du noir le plus sombre à un camaïeux de pastel. À la tempête perpétuelle succéda un éternel soleil couchant. Elle rayonnait. Au lieu d'envier perpétuellement le bonheur des autres, elle se blottit silencieusement dans le sien. Et bien que j'eusse déjà dix-neuf ans et vécusse loin d'elle, je me souviens du soulagement que j'éprouvai de savoir que j'aurais enfin la mère dont j'avais toujours rêvé. Maintenant qu'elle était heureuse, elle pourrait s'occuper de moi. J'avais attendu cela si longtemps. J'avais su attendre et ma patience était récompensée.

Du moins, le croyais-je. Car, chaque fois que j'allais la voir, j'attendais d'elle qu'elle me parle et agisse envers moi comme la mère idéale qu'elle était supposée être enfin devenue. Elle devait me poser des questions sur ma vie, écouter mes réponses, s'intéresser à ce que je faisais, se souvenir de ce que je lui avais confié lors de ma dernière visite: en résumé, s'impliquer dans ma vie.

Elle le faisait parfois, mais rarement. Et quand elle oubliait, la vieille colère de mon enfance se réveillait en moi. «Tu n'étais pas là, maman, et j'avais tellement besoin de toi! J'ai encore besoin de toi! Ce n'est vraiment pas juste! La mère de Matt, elle, lui fabriquait des chaussures sur mesure!»

Les boulimiques passent ainsi leur vie à attendre. Attendre le jour où elles seront enfin minces. Attendre qu'on les décharge de leur fardeau. Attendre de pouvoir enfin être elles-mêmes. Mais l'enfant blessée reste une enfant blessée et elle continue d'attendre des autres ce que ses parents lui ont refusé. Dans leur refus de s'écouter, tout comme leurs parents ont refusé de les écouter, les boulimiques continuent de faire la même erreur. Elles dissimulent leur besoin d'être aimées sous le désir d'être minces.

C'est là une erreur terrible et lourde de conséquences.

J'assistais l'année dernière, à Berlin, à une série de conférences sur le thème: «L'holocauste: une telle horreur peut-elle se reproduire?» Un survivant des camps de concentration, du nom de Sidney, parla de sa vie dans sept camps de concentration différents. Il raconta qu'à dix-sept ans, les Nazis l'arrachèrent à sa famille pour le jeter dans un premier camp où il retrouva son meilleur ami de maternelle. Un jour qu'on les avait fait se mettre en rang pour la distribution des tâches, le commandant du camp arriva et demanda à l'ami de Sidney pourquoi il avait une telle allure de déterré.

Le garçon se raidit et déclara:

«J'ai une allure de déterré, mon commandant, parce que je meurs de faim. Je n'ai rien mangé depuis trois jours et encore ne nous avait-on donné que des épluchures de pommes de terre bouillies.

Le commandant dit alors:

— Je ne vous crois pas. J'ai ordonné qu'on vous nourrisse suffisamment. Alors, maintenant, dites-moi la vérité. Pourquoi avez-vous cette allure de déterré?

— Je ne vous mens pas, mon commandant. Je n'ai rien mangé depuis les épluchures de pommes de terre d'il y a trois jours.»

Encore une fois le commandant lui demanda de dire la vérité et encore une fois l'ami de Sidney fit la même réponse. Alors, sous les yeux de Sidney, le commandant dégaina son pistolet et tira une balle dans la tête de son ami.

Sidney expliqua que s'il avait réussi à survivre c'était parce qu'il s'était promis de raconter un jour cette histoire au grand public:

«Je passais mes nuits à chercher les termes exacts avec lesquels je raconterais cette histoire quand je serais libre. Cela tourna à l'obsession, ce besoin de dire au monde ce qui s'était passé dans les camps.»

Mais lorsqu'on le libéra, Sidney se rendit compte que personne ne voulait l'écouter. Personne ne voulait rien savoir d'une telle horreur. C'était trop dur, même à écouter.

Sidney a soixante ans maintenant. Lorsque je le rencontrai, il n'avait raconté cette histoire qu'une fois auparavant. Même ses enfants ne connaissaient rien de cet épisode de sa vie. En fait, la plus grande partie de son histoire avait été préenregistrée pour la conférence car sa femme craignait pour sa santé s'il devait, en la racontant, revivre encore une fois cette horreur. Le traumatisme était si profondément enfoui en lui que sa femme craignait que cela puisse le tuer.

Dans son merveilleux livre *For your own good*[2], Alice Miller explique que grandir dans une famille où l'on est maltraitée est plus traumatisant que d'avoir vécu dans un camp de concentration nazi. Le détenu du camp connaît son ennemi et peut trouver du soutien dans la présence de ses camarades. Il sait avec chaque fibre de son être que ce qui lui arrive est horrible et injuste. L'enfant qui est maltraitée, par contre, se trouve dans une situation impossible car on lui demande de nier sa souffrance. Parce qu'elle est dans une situation de dépendance, qu'elle est innocente et sans défense, l'enfant ne peut qu'adorer ceux-là mêmes qui la maltraitent. Elle doit alors rediriger sa haine, sa méfiance, sa colère vers l'intérieur — contre elle-même — car elle ne peut l'extérioriser contre ses parents. Devenues adultes, nous continuons de rechercher les mauvais traitements: que ce soit sous forme de relations impossibles, d'obsessions délirantes ou de violences envers les autres ou nous-mêmes.

Nous n'avons pas trouvé ce type de comportement dans une pochette surprise. La boulimie ne nous est pas tombée dessus par hasard. Nous ne nous réveillons pas soudain un

2 • New York: Farrar, Straus, Giroux, 1983. En français, *C'est pour ton bien*, Paris, Aubier, 1984.

matin avec l'envie irrépressible de manger cinq pâtisseries et trois pizzas. Et si nos sentiments, nos émotions refoulés vis-à-vis d'événements pénibles et traumatisants déclenchent en nous des crises de boulimie, ils n'en sont pas la cause directe. Nous avons appris à nous maltraiter parce que nous avons été maltraitées.

Et si toutes les boulimiques n'ont pas été maltraitées durant leur enfance, toutes portent en elles une blessure qui remonte à cette époque. Tant que cette blessure restera du domaine de l'inconscient, elles continueront de se comporter d'une façon qui s'oppose à leurs désirs conscients. Elles veulent perdre du poids, mais se goinfrent à en être malades. Elles veulent vivre une relation équilibrée et affectueuse, mais se retrouvent avec des hommes qui se soucient à peine d'elles. Elles veulent exercer un métier qui leur plaise, mais elles se confinent à un poste sans avenir qui les ennuie.

Faire le deuil signifie s'avouer la vérité et reconnaître ce que l'on a perdu. Oser dire l'indicible. Ne plus vouloir à tout prix protéger les gens de ce que nous sommes vraiment. Si nous nous sommes toujours comportées comme quelqu'un de gentil, qui s'occupe toujours des autres et ne proteste jamais, devoir ainsi révéler la vérité peut s'avérer une expérience terrifiante. C'est pourquoi la plupart d'entre nous préférons mentir, faire semblant ou nous cacher. On nous a appris très jeunes que se dévoiler pouvait faire peur aux autres, alors que faire semblant favorisait l'illusion de l'intimité.

Personne n'avait envie d'entendre Sidney parler de ses années passées dans les camps de concentration. Ils ne voulaient rien entendre de l'horreur que l'on éprouve à mourir de faim, jour après jour, n'ayant rien à manger qu'une poignée d'épluchures de pommes de terre. Ils ne voulaient rien entendre non plus de la douleur que l'on ressent quand notre meilleur ami est abattu sous nos yeux. Ils ne voulaient rien savoir du tout. Ils ne voulaient surtout pas qu'on vienne déranger leur bien-être.

À trente ou quarante ans, nous n'avons pas du tout envie de nous sentir à nouveau aussi vulnérables que lorsque nous étions enfants. Comme Sidney, nous préférons alors oublier le passé, faire comme si rien ne s'était passé et nous rassurer en nous disant que tout cela n'est que du passé. Comme Sidney, nous avons trop peur — après tant d'années — de risquer de mourir si nous devions — encore une fois — revivre notre enfance.

Dernièrement, dans un atelier, un homme a déclaré:

«Je mange pour la même raison que mes amis alcooliques boivent.

— Et quelle est cette raison? demandai-je.

— Pour supporter la douleur.

— Que se passerait-il si vous ne faisiez rien pour éviter cette douleur?

— Eh bien! comme dit un ami alcoolique: ‹Le problème n'est pas de savoir si je vais ou non boire ce verre. Le problème est de savoir si je vais ou non sauter du haut du pont!»

Les femmes viennent à mes ateliers pour apprendre à perdre du poids et à se débarrasser de leur boulimie. Je leur annonce alors qu'il leur suffit de manger quand elles ont faim et de s'arrêter quand elles sont rassasiées. On peut facilement se guérir de la boulimie en suivant quelques directives très simples: remplir les placards de la cuisine de ce que nous aimons manger, être à l'écoute de notre corps, apprendre à nous occuper de nous au-delà du simple fait de nous nourrir.

Je leur explique alors que guérir la boulimie n'est pas le problème. Le véritable problème est que — si nous enlevons l'obsession — nous découvrons alors les blessures qu'elle était censée dissimuler. Enlevons l'obsession et nous retrouvons l'enfant prisonnière d'une famille où il n'y a personne vers qui se tourner ni porte de sortie, sauf celle du réfrigérateur. L'obsession fige nos sentiments. Nous transférons notre peur de la vie sur notre peur d'être grosses, ce qui revient à jeter la délicate horloge de notre développement émotionnel sur une dalle de béton. Nous en brisons le mécanisme et le temps s'arrête pour toute cette partie de nous-mêmes. Si nous avons été violées à cinq ans et que, terrorisées, nous n'avons jamais rien dit à personne et avons commencé à être boulimiques, nous nous retrouvons — à quarante-six ans —, lorsque nous arrêtons d'utiliser la nourriture comme substitut, avec cette même terreur, aussi forte qu'au premier jour. Nous devons alors affronter cette terreur, ce désespoir, cette colère, ce sentiment d'abandon ou d'impuissance qui sont en nous et toutes ces pressions que nous avons subies et encaissées sans réagir parce que nous nous croyions des moins que rien indignes d'être aimées. Il nous faut les extirper, une à une, les exposer à la lumière du jour, les regarder en face et les reconnaître pour ce qu'elles sont afin de les renvoyer là d'où elles viennent. Sinon, elles resteront ancrées en nous, alors même que la tempête de notre enfance s'est depuis longtemps éloignée.

De tels sentiments, de telles émotions ne disparaissent pas simplement parce que les circonstances qui les ont créés ont disparu, comme des fantômes qui disparaissent lorsqu'on les éclaire. Ces sentiments ne disparaissent que lorsque nous pouvons les nommer. Et pas avant.

Le deuil est un processus qui implique le déni, la condamnation, la colère, la perte, le repli, l'épuisement[3] pour, en fin de compte, accepter les blessures, les trahisons et surtout le fait que jamais un baiser ne suffira à tout effacer. Pleurer son passé n'est pas quelque chose que l'on fait contre ses parents mais pour soi-même, bien qu'il soit, pour certaines personnes, essentiel, voire indispensable à leur guérison, qu'une telle confrontation ait lieu.

Le travail de deuil n'est pas non plus à confondre avec pardonner à ceux qui nous ont fait souffrir. Nombreuses sont

---

3 • Voir *The Courage to heal* (Harper & Row, New York, 1988), par Ellen Bass et Laura Davis, pp. 57 à 161, dans lesquelles elles décrivent le processus de guérison.

celles qui voudraient effacer leur passé par le pardon car, si les pleurs peuvent sembler de l'apitoiement, le pardon lui, est un signe de grandeur d'âme. Il n'y a aucune grandeur à dissimuler nos sentiments, nos émotions, et le pardon ne sera jamais qu'une comédie jusqu'à ce que nous acceptions enfin de nous mettre en colère contre la ou les personnes qui nous ont fait souffrir. C'est seulement ainsi que nous pourrons nous rendre compte — au fond de nous-mêmes — que nous ne méritions pas ce qu'ils nous ont fait subir. On ne peut pardonner à quelqu'un contre qui on ne s'est jamais mis en colère.

Faire le deuil des années perdues est un processus courageux car il nécessite du temps. Or, on répète sans arrêt que nous ne pouvons pas nous permettre de perdre du temps. Pleurer notre passé peut nous prendre des journées entières. Et avec une famille dont on doit s'occuper, des travaux à rendre et une vie qui réclame à chaque instant notre attention, il est difficile de croire que l'on puisse prendre le temps de s'y consacrer. Oser pleurer est courageux car cela peut sembler de l'autocomplaisance. Dans une société qui valorise le succès et la réussite, nous croyons avoir mieux à faire que de pleurer sur ce qui nous est arrivé il y a trente ans. Il faut être courageux pour se le permettre parce qu'il arrive un moment où l'on croit qu'on n'en arrivera jamais à bout et où nous n'avons aucune idée de ce qui viendra après.

Le but, en faisant le deuil, n'est pas seulement de guérir ni de comprendre la douleur ou même de pardonner. Guérir — pleurer — n'est qu'une étape, car il faudra ensuite grandir, évoluer. Le but de la guérison est de se retrouver afin de pouvoir ensuite avancer vers une nouvelle vie dans laquelle nous nous réaliserons, puisant dans nos racines la force de recevoir et d'aimer. Se guérir de son passé n'est donc que le premier pas. Vivre dans le présent est le suivant. Le dernier sera de se créer un futur où l'on rencontrera celui que l'on cherchait à tort dans le passé pour créer avec lui une véritable relation d'intimité.

❤ ❤ ❤

Lorsque j'arrêtai tout régime et commençai à manger selon mes besoins et mes envies, personne ne crut que je tiendrais le coup. De même, ces dernières années, depuis que je me suis fait le serment de dire la vérité sur mon passé, je remarque que mes amies, même les plus intimes, tiquent lorsque dans la conversation quelque chose réveille les souffrances de mon enfance et que je décide d'en parler sans gêne ni retenue. Elles auraient préféré de beaucoup que je reste silencieuse.

Même Matt a parfois du mal à le supporter. Il y a quelques jours, au cours du dîner, je lui demandai de me raconter sa bar-mitzvah. Il m'expliqua alors qu'au lieu d'aller apprendre le yiddish à l'école hébraïque, comme tous ses amis, il allait à un cercle féminin. Il m'expliqua aussi que sa bar-mitzvah n'eut pas lieu le samedi comme tout le monde, mais un mardi pour que ses grands-parents, qui étaient très orthodoxes et ne pouvaient voyager le samedi, puissent y assister.

«Ne te sentais-tu pas un peu bizarre d'être ainsi traité différemment de tes amis?

— Non, pas du tout, pour moi, il aurait été complètement stupide de faire ma bar-mitzvah un jour où mes grand-parents ne pouvaient pas venir.

— On dirait une réflexion d'adulte, remarquai-je, et non celle d'un garçon de treize ans qui n'est pas particulièrement rationnel.

Il ferma ses yeux un instant, respirant lourdement. Je ne dis rien. Puis il commença:

— Tu sais, Geneen, rares sont ceux qui, comme toi, pensent que les sentiments refoulés de l'enfance sont un sujet de conversation idéal pour un dîner en tête-à-tête! Ne t'es-tu jamais posé la question de savoir s'il n'y a pas quelque chose de malsain à être ainsi fascinée par la souffrance?

Fascinée par la souffrance? Suis-je vraiment fascinée par ma souffrance? Je me revois encore engluée dans celle-ci comme dans un goudron noir obstruant ma bouche et mes narines, gommant mes yeux et mes cheveux. Une femme dans un atelier m'expliqua que son mari lui reprochait de pleurer chaque fois qu'il sortait les poubelles. Elle avait peur de ne jamais plus le revoir. Est-ce ainsi que Matt me voyait? Mon compagnon attendait ma réponse.

— Si je suis fascinée par ma souffrance — pour employer tes propres mots —, c'est parce que ma souffrance est la seule chose que j'ai connue de la vie durant toutes ces années. Elle me collait tellement à la peau que je ne savais même plus que c'était elle qui me dictait mon comportement, que ce soit dans mon travail, dans ma relation avec mes amis, avec toi ou avec moi-même. Mais plus je secoue cette souffrance et moins de force elle a sur moi. Crois-moi, je n'ai aucun plaisir à remuer tout cela, mais je dois le faire. Parce que je dois m'en débarrasser pour pouvoir enfin être moi-même. Et Dieu seul sait quelle genre de personne je suis réellement. Peut-être même suis-je de celles qui fabriquent des chaussures à leurs enfants?»

Ma mère n'a jamais voulu reconnaître la souffrance qu'elle avait endurée étant enfant. Mon père ne voulut même pas se poser la question. Plutôt que d'affronter leurs souffrances, ils ont préféré nous les transmettre.

Lorsque j'eus achevé le deuxième chapitre de ce livre, je demandai à Matt de le lire. Il en fut bouleversé: «Mais que va dire ta mère de tout cela? Et ton père?»

Que devais-je faire? Je m'étais dit en écrivant le premier brouillon que je pourrais toujours le corriger, changer les noms, les lieux. Personne ainsi ne saurait. Jamais. Je continuais ainsi de vouloir protéger mes parents. Ils avaient refait leur vie, nos relations s'étaient améliorées et je ne voulais pas les embarrasser avec ces histoires du passé. Mais c'est surtout moi que je voulais protéger: J'avais peur que, après avoir lu mon livre, mes parents ne veuillent plus me parler.

Lorsque j'avais envoyé à ma mère et à son compagnon Dick les épreuves, Dick m'avait appelée pour me dire:

«Vous ne pouvez pas publier ce passage sur votre mère, Geneen. Ce n'est pas bien. Cela s'est passé il y a tant d'années.

Nous avons de nouveaux amis maintenant, qui ne savent rien de toute cette époque. Pourquoi réveiller ainsi la douleur? Ce n'est pas bien. C'est de ma femme dont vous parlez après tout.

— Dick, répondis-je calmement, c'est sur ma mère que j'écris. Je suis désolée de remuer ainsi le passé et de réveiller cette vieille souffrance, mais je dois l'écrire car, pour moi, cette souffrance est toujours présente.»

Je ne voulais pas blesser mes parents. Je voulais au contraire pouvoir avec eux et avec moi-même profiter du présent. Je voulais enfin pouvoir me débarrasser de cette vie de souffrance et non la brandir comme un étendard le restant de ma vie. La seule chose que je pouvais faire pour cela était d'accepter et de pleurer tous ces sentiments, toutes ces émotions que j'ai dû refouler. Il me semblait donc que c'était plutôt en refusant de m'y complaire que je faisais de la souffrance ma bannière.

Si j'avais changé les noms, les lieux, fait en sorte que ces histoires soient arrivées à une autre personne, c'est cette autre personne qui aurait été guérie et pas moi. Si j'avais voulu faire semblant que tout ceci était arrivé à quelqu'un d'autre que moi, j'aurais renforcé ma croyance que, pour être aimée, il est nécessaire que je me dissimule. J'aurais ainsi continué de perpétuer ma honte d'avoir grandi dans cette famille. Et j'aurais inconsciemment transmis cette honte à mes enfants, qui à leur tout la transmettraient aux leurs.

Avec qui cela prendrait-il donc fin?

Avec moi. Avec vous.

Lorsque nous le déciderons.

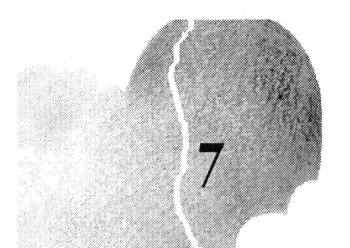

7

Sortir du rôle
de victime

Je sirote un jus d'orange, ma mère et Dick, son deuxième mari, mangent leurs flocons d'avoine tandis que Matt boit un thé à la citronnelle. Nous prenons ensemble notre petit déjeuner dans l'un des salons de l'hôtel *Claremont* de Berkeley. Mes parents sont venus nous rendre visite et nous les rencontrons une dernière fois avant qu'ils ne rentrent chez eux.

«Geneen, fait tout à coup Dick, allons faire un tour ensemble. J'aimerais vous dire quelques mots.

Mon estomac se serre, mon cœur s'emballe. Je ne veux pas y aller. Je sais très bien ce qu'il désire me dire. Il ne veut pas que je parle à nouveau de mon enfance dans mon prochain livre. Je me sens comme une petite fille que l'on emmène à l'écart parce qu'elle a été méchante. Je voudrais lui dire que, s'il désire me parler, il peut le faire ici, devant tout le monde, mais je n'en ai pas le courage et, après un court silence, je réponds:

— D'accord, allons-y maintenant.

Nous passons devant le buffet où sont disposés des montagnes de fruits exotiques: pastèques, papayes, bananes. Dick me passe le bras autour des épaules.

— Geneen, Ruth m'a dit que vous comptiez écrire sur votre enfance et…

Je me dégage d'un mouvement sec.

— …et je dois vous dire que cela me gêne beaucoup. Vous avez déjà abordé ce sujet dans vos précédents livres, pourquoi vouloir recommencer? Vous rendez-vous compte à quel point vous allez la faire souffrir? Ne pouvez-vous pas un peu penser aux autres pour changer?

Je voudrais hurler, retourner en courant vers la table! J'ai excusé ma mère, je l'ai protégée durant toute mon enfance et il veut maintenant que je recommence! Non! il n'en est pas question! Non, non et non! Je voudrais lui répondre mais ma voix s'étrangle. Dick continue:

— Si vous avez vraiment besoin d'écrire, écrivez mais brûlez-le ensuite. Pourquoi ce besoin d'humilier ainsi votre mère?

Je ne peux pas garder le silence plus longtemps. Je dois parler. Maintenant.

— Je n'écris pas pour l'humilier, Dick. J'écris parce que je veux me soigner, me guérir et profiter enfin de la vie. Et je veux que chacun sache qu'il peut faire de même.

— Je peux comprendre que vous ayez un problème et que vous vouliez y trouver une solution, mais vous n'avez pas à écrire sur votre mère. Cela pourrait avoir des conséquences terribles pour elle:

— Comme quoi?

— Elle pourrait en faire une dépression nerveuse... Pourriez-vous dormir la conscience tranquille si une telle chose se produisait?

Nous sommes assis dans le foyer de l'hôtel, enfoncés dans d'énormes fauteuils recouverts d'un tissu à grosses fleurs. Du bout de l'index, je suis nerveusement le contour d'une rose. Je suis perdue, à la fois en colère et effrayée. Je trouve qu'il se mêle de ce qui ne le regarde pas, mais ne peux aussi m'empêcher de penser qu'il a peut-être raison. Une dépression nerveuse!

— Dick, je comprends que vous réagissiez violemment à ce que j'entreprends. Je m'y attendais. Je ne fais pas cela pour vous blesser. Mais je ne m'arrêterai pas pour vous faire plaisir. La discussion est close. Retournons à la table maintenant.

— Très bien, Geneen. Je voulais simplement vous dire ce que j'avais sur le cœur. Je m'en serais voulu de ne pas l'avoir fait.

J'acquiesce et retourne vers la table. Je passe devant le serveur qui nous dévisage depuis le début, puis repasse devant le buffet garni de fruits et de pâtisseries!

Je vois Matt et ma mère, à l'autre bout de la pièce, absor-
bés dans leur conversation. Matt hoche la tête en signe
d'acquiescement — de petits hochements inconscients. Ses
yeux sont grands ouverts, son visage tendu par l'attention. Je
connais bien cette expression. Chaque muscle de son corps
semble prêt à recevoir les paroles de ma mère.

Arrivée à la table, je pose la main sur son épaule. Matt
lève les yeux vers moi.

— Enfin! je suis content que tu sois là!

Je voudrais plonger dans ses yeux et me reposer dans
leurs eaux calmes. Il m'entoure de ses bras. Dick est venu se
placer derrière ma mère. Je reste silencieuse. Ma mère me
regarde et me dit:

— Tu es en colère, n'est-ce pas?

Je réponds dans un sanglot:

— Oui. Oui, je suis en colère!

Je me tourne vers Dick.

— Vous auriez pu me dire tout cela devant Matt et maman.
Pourquoi ne pouvaient-ils pas écouter ce que vous aviez à
me dire?

Ma mère commence à pleurer. Son mascara coule sur ses
joues.

— J'avais peur que Ruth ne se mette en colère.

— Je lui ai dit que je ne voulais pas qu'il te parle, commence
ma mère, que je pouvais très bien m'en charger moi-même.

— Il croit que si je publie ce que j'écris, tu vas faire une
dépression nerveuse.

— Une dépression! Dick, est-ce que tu plaisantes?

— Je lui ai simplement dit que je m'inquiétais de ce qui
pourrait t'arriver si elle publiait ce livre.

Dick se tourne vers moi.

— Dans ma vision du monde, Geneen, la famille se place au-
dessus de tout. Honore ton père et ta mère, disent les dix
commandements. J'y crois et je m'y conforme. Pour moi, la
famille est sacrée. Vous ne devez jamais entreprendre quoi que
ce soit contre les membres de votre famille pour quelque
raison que ce soit.

Il parle comme quelqu'un qui croirait que les parents ont toujours raison et les enfants toujours tort. Est-il fou? Ou bien est-ce moi?

Matt me prend la main et la presse tendrement. Il m'embrasse sur la joue, regarde Dick et ajoute:

— Geneen honore sa mère, Dick. C'est exactement ce qu'elle essaie de faire à sa façon: en lui disant la vérité. Elle ne cherche pas à blesser Ruth, mais à nettoyer leur relation afin qu'elles puissent enfin jouir ensemble du moment présent plutôt que se battre avec le passé.

— Mais pourquoi faut-il qu'elle publie ces histoires?

— Avez-vous jamais lu les lettres que lui envoient les gens qui lisent ses livres? Moi oui. La plupart d'entre eux écrivent pour lui dire qu'elle est la seule à les comprendre, la seule à oser écrire sur des sentiments, des émotions que tout le monde considère comme honteux. Elle n'écrit par pour blesser sa mère, Dick, mais pour venir en aide aux gens, à beaucoup de gens.

Ma mère, qui vient de jeter un coup d'œil sur sa montre, lui coupe la parole:

— Je regrette que nous devions arrêter là, mais si nous ne partons pas immédiatement nous allons rater notre avion. Et nous n'avons même pas bouclé nos valises!

Elle se tourne alors vers moi:

— Lorsque nous avons parlé ensemble, hier, j'ai enfin compris ce que tu voulais me dire. Je comprends maintenant pourquoi tu veux écrire sur ton enfance et je suis sûre que nous nous en sortirons. Nous réussirons à surmonter ces sentiments, ces émotions douloureuses et apprendrons à nous aimer. J'ai confiance en nous. Du fond du cœur. Je t'aime, ma petite fille.

— Je t'aime aussi, maman.

Nous nous faisons tous face en silence. Je fixe du regard un point imaginaire au-dessus de la tête de Dick.

— Je regrette de vous avoir mis en colère, Geneen, mais je préférais en parler maintenant plutôt que de ruminer ça pendant dix ans.

— Oui, je comprends. Au revoir, maman. Je t'appellerai dans un jour ou deux.

— Prenez soin de mon bébé», termine-t-elle tandis que les portes de l'ascenseur se referment.

Lorsque j'avais sept ans, je passai l'été au baraquement six du camp Towanda. J'y étais la championne d'osselets de ma division. Avec mes osselets bleu marine, je pouvais battre n'importe qui, même Susie Kleiner. Par un après-midi pluvieux de juillet, à Honesdale en Pennsylvanie, Lebanon Fadish me lança un défi à ces jeux. Je l'acceptai. Le jeu commença innocemment jusqu'à ce que Lebanon laissât tomber un osselet. Je voulus prendre mon tour. Elle prétendit alors qu'elle n'avait pas voulu le laisser tomber et que c'était donc encore à elle de jouer. Je me levai, insistant sur le fait que c'était mon tour. Elle se leva aussi. Nous nous fîmes face. Lebanon était couverte de taches de rousseur et avait les cheveux comme de la filasse et les yeux globuleux. Elle avait un frère du nom de Randy et sa mère venait la voir vêtue de collants fluorescents et arborant des boucles d'oreilles en forme de bananes. Le surnom de Lebanon était Radis, le mien Genie Bikini. Nous étions immobiles, nous défiant du regard. Je remarquai que sa bouche se crispait. Ses lèvres en étaient blêmes. Lorsqu'elle plissa les yeux, je fus stupéfaite de constater à quel point elle était laide. L'instant suivant, faisant un large crochet avec son bras droit, elle m'écrasa son poing en pleine figure. J'étais sonnée. Les deux mains sur ma joue qui me brûlait, je restai là, sans réagir, à la regarder, incrédule.

Tout le baraquement se rassembla autour de nous, espérant un combat. «Rends-lui son coup», me souffla Melanie. «Donne-lui ce qu'elle mérite. Botte-lui le cul», renchérit Bettie. Tous attendaient. Au bout de deux ou trois minutes, les mains toujours sur mon visage, je me retournai et me dirigeai silencieusement vers mon lit. Je m'y allongeai et m'y dissimulai sous la couverture kaki. Après vingt minutes, lorsque je fus sûre que tout le monde était parti, j'allai prendre dans mon casier un sac de réglisse rouge et sortis par la porte du fond. Je m'assis sous la fenêtre des toilettes et commençai à manger en pleurant. «Après tout, me dis-je, c'est normal que Lebanon me frappe, je ne suis qu'une grosse peureuse.» Mais le soir, avant de m'endormir, je repassais indéfiniment le combat dans mon esprit. Et dans la version que j'en imaginais, je lui répondais. Je la frappais, m'asseyais sur sa poitrine et lui criais au visage: «Radis! Radis! Radis!»

Lorsque j'avais huit ans — nous habitions alors une maison noire et blanche, — ma mère, au cours de l'une de ses crises, me frappa à coups de balai. Nous étions dans l'escalier. Elle était furieuse et hurlait. On aurait dit notre voisine Marian Smokman, dont nous pouvions entendre les hurlements à travers les murs. Marian mesurait un mètre cinquante et son énorme ventre débordait perpétuellement de son pantalon corsaire et de ses chemises hawaïennes. Son rouge à lèvres, mauve, dépassait toujours le contour de ses lèvres, recouvrant sa sombre moustache et presque son nez! Norman, son mari, avait planté un mât dans leur jardin et chaque jour avant l'école — même par temps de neige — Marian, dans son anorak détrempé, hissait le drapeau. Lorsque le président Kennedy mourut, le drapeau resta six mois en berne. Chaque fois que nous l'entendions crier après Joe, Bobbi ou Judy, ma mère se lamentait: «Pauvres enfants». Moi, je l'imaginais, ses lèvres enflant démesurément et vomissant un flot de paroles dans un tumulte assourdissant.

Ma mère était en colère parce que j'avais traversé seule un boulevard. Sans que je sache pourquoi, sa colère avait pris ce jour-là des proportions exceptionnelles. Je me protégeais tant bien que mal, montant à reculons les escaliers. Elle avançait inexorablement, brandissant le balai au-dessus de sa tête. Je fixais, en alternance, son visage et le balai. Son visage, le balai. Son visage, le balai. Au moment où j'atteignis le haut des marches, le balai s'abattit sur mes épaules. Une fois. Deux fois. Trois fois. Je pleurais, suppliant ma mère de m'épargner. Plus tard, à la fin de la journée, je descendis sur la pointe des pieds l'escalier et me dirigeai silencieusement vers le salon. Elle était là, assise dans un fauteuil noir et blanc, et faisait des mots croisés. Elle leva les yeux et me fixa. «Maman», murmurai-je, me mettant à genoux — sa bouche, tendue, n'était qu'une fente, ses yeux étaient rivés sur mes lèvres — «tu peux me battre autant que tu veux mais, je t'en prie, plus avec le balai.»

J'en étais malade. Je me détestais de la supplier et de lui reconnaître ainsi le droit de me frapper. Plus tard, de retour dans ma chambre, je me promis de ne plus jamais m'humilier ainsi.

Et ainsi — pendant plus de vingt ans — je ne pleurai pas une seule fois devant ma mère. Je ne voulais plus lui donner la satisfaction de savoir qu'elle m'avait blessée. Je me jurai d'enfermer au plus profond de moi tous mes sentiments, toutes mes émotions. Je ne broncherais plus quand elle me frapperait, je ne lui répondrais plus lorsqu'elle me crierait dessus. Je décidai de m'envelopper dans un voile de silence et de dignité. Je ne m'abaisserais plus jamais à la supplier. Qu'elle me batte avec son balai, si elle le désire. Je ne dirai pas un mot, je ne laisserai pas même un gémissement franchir mes lèvres. Je me jurai aussi ce jour-là de ne plus jamais aimer quelqu'un qui ne m'aime pas.

Chaque fois que ma mère voulait me frapper, je me retirais des parties de mon corps qui allaient être exposées aux coups — jambes, bras, mains, visage — et me faisais la plus petite possible, me cachant au fin fond de moi-même, là où rien ni personne ne pouvait m'atteindre.

Lorsque la tempête éclatait, je restais ainsi, debout, immobile, attendant qu'elle en ait fini. Puis, lorsqu'elle m'ordonnait d'aller dans ma chambre pour ne pas en sortir tant que je ne serais pas prête à m'excuser, je m'enfuyais en courant. Une fois dans la chambre, à l'abri de son regard, j'éclatais en sanglots. Souvent, tout en pleurant, je me gavais de diverses sucreries. Le mélange des larmes et de la nourriture... Seule dans ma chambre, où personne ne pouvait me voir, je m'abandonnais aux larmes et à la nourriture. Apaisée, je pouvais alors sortir de ma chambre pour faire mes devoirs et regarder la télé. Mais je restais réfugiée au fond de moi-même et ma mère ne pouvait plus m'y atteindre.

❤ ❤ ❤

Lorsque je rencontrai Matt — j'avais alors trente-cinq ans —, nous nous disputions souvent. Pour tout et pour rien. Chaque fois, comme lorsque j'étais enfant, je me rapetissais pour me cacher au plus profond de moi-même. Je regardais alors sans voir, parlant d'une voix monocorde, et restais immobile, sans vie. Il me priait d'abord gentiment de ne pas agir ainsi. Comme je restais silencieuse, il élevait alors la voix et m'ordonnait d'arrêter immédiatement ce petit jeu. Mais j'étais déjà si loin au fond de moi-même que sa voix me parvenait à peine, étouffée par les murailles derrière lesquelles je m'étais abritée. Une fois où il avait arrêté la voiture en plein milieu d'une avenue, je bondis hors de la voiture et m'enfuis en zigzaguant au milieu des voitures. Une voiture s'arrêta net pour m'éviter mais je ne m'arrêtai même pas, fonçant droit devant moi sans me retourner. Plus rien n'existait pour moi, pas même Matt. Je ne le connaissais plus.

Chaque fois que nous nous disputions, je continuais de me réfugier au fond de moi-même, là où personne ne pouvait me voir, là où personne ne pouvait m'atteindre. Un soir, il fut tellement énervé par mon silence qu'il commença à frapper le volant du poing. Je ne réagis pas, regardant droit devant moi, déchiffrant une pancarte: «*Restaurant Larry et Eddy Buck-wagon*. Hamburgers et beignets de poisson: 6,95 \$». Je me demandai alors: «À quoi ressemble Edy? Depuis combien de temps sont-ils mariés?» Matt hurla:

«Je ne peux plus supporter que tu fasses cela!

Je restai muette, me répétant au fond de moi-même:

«Il est exactement comme ma mère! Comment ai-je pu me retrouver avec quelqu'un qui se conduit exactement comme elle? Je ne l'aime pas! Il me fait peur à crier comme ça! Vous allez voir, il va me frapper! S'il pose la main sur moi, je le tue! Je ne veux pas vivre un instant de plus avec lui, c'est un maniaque! Dès que nous serons rentrés à la maison, je lui demanderai de faire ses bagages!»

Quelqu'un qui me crie dessus ne peut pas m'aimer. Et je ne veux pas aimer quelqu'un qui ne m'aime pas.

Ma mère finit par nous faire croire, à mon frère Howard et à moi, que nous étions la cause de toutes ses souffrances. Et nous la crûmes. La violence avec laquelle elle exprimait son désespoir, la manière qu'elle avait de rejeter sa souffrance sur nous — comme on jette des ordures dans une poubelle —, tout cela était sa faute, sa faute seule, et elle aurait dû s'en rendre compte.

Mais le fait que je continue, encore aujourd'hui, de pleurer en me gavant de réglisse, de m'enfermer au fond de moi-même, de sortir de la voiture en pleine circulation, et que Matt me quitte si je refuse de lui parler, ce n'est pas de sa faute. Et je dois m'en rendre compte, arriver à agir autrement.

Je dois trouver le moyen de mettre fin à cette souffrance qui remonte aux violences et aux délaissements de mon enfance. Je dois cesser de me comporter comme une enfant victime de ses parents et apprendre à être une femme. Une femme qui sache trouver en elle sa propre vitalité et qui devienne responsable pour la manière dont elle choisit d'ignorer ou d'exprimer ce qu'elle est.

Une victime est une personne qui n'a pas de choix, qui dépend de ceux qui l'entourent pour la protéger. Son manque de confiance en elle vient principalement de l'absence d'amour qu'elle ressent dans son milieu. La victime regarde alors autour d'elle, et non en elle, pour savoir quels sentiments elle doit éprouver ou quelle attitude adopter. Les enfants sont des victimes. Si une enfant est blessée, battue, violée, la seule chose qu'elle puisse faire est d'essayer de se faufiler — à travers les coups, la violence, le viol — et, malgré eux, de survivre.

Nous ne sommes pas responsables de l'alcoolisme, de la violence et des mensonges de nos parents. Nous ne sommes pas responsables non plus si, ayant grandi dans un tel milieu, nous ressemblons à un arbuste famélique se tordant dans l'obscurité vers le moindre rai de lumière. Qu'aurions-nous pu faire d'autre? Nos parents n'ont d'ailleurs pas mieux fait. Ils n'ont fait que nous apprendre ce qu'on leur avait enseigné: Les adultes ont toujours raison et les enfants doivent leur obéir au doigt et à l'œil. Et en silence. Beaucoup d'entre eux ont grandi en attendant désespérément que quelqu'un leur fasse l'aumône d'un semblant de dignité. Nos pères ont été battus par leurs oncles, leurs professeurs, leurs officiers. On a appris à nos mères à se méfier de leur corps, à avoir des enfants, à ne pas s'occuper d'elles-mêmes. La violence envers les enfants était alors courante, mais personne n'en parlait. L'alcoolisme était répandu, mais toléré, avec un sourire d'indulgence, voire encouragé comme une forme de virilité. Quand un homme battait sa femme, c'était pour la remettre à sa place, elle le méritait. Nos parents aussi ont été des victimes. Et leurs parents de même.

Nous ne sommes pas coupables de la souffrance qu'on nous a infligée étant enfants, mais nous sommes responsables de la manière dont nous réagissons adultes à cette souffrance. Un jour, nous devons cesser d'être l'enfant maltraitée et de nous comporter en victime.

Lorsqu'une boulimique apprend qu'elle peut cesser les régimes et manger tout ce qu'elle veut, sa première réaction est généralement d'éclater de joie comme un lutin lorsqu'il apprend la mort de la méchante sorcière! Soulagement! Liberté! Euphorie! Un régime est comme un parent oppressif, autoritaire et arbitraire. Il nous dit ce que nous pouvons ou ne pouvons pas faire. Le régime perpétue ainsi en nous cette enfant qui a subi le manque d'attention et les privations. Il attire notre attention sur de faux problèmes: ce que nous devons manger, quand nous devons le manger et en quelle quantité. Il nous maintient dans un état de dépendance envers une source extérieure — le régime lui-même — pour ce qui est de notre bien-être et de notre estime de nous-mêmes.

Si nous nous comportons bien, si nous suivons le régime, nous nous félicitons, tout comme nos parents nous félicitaient lorsque nous regardions bien des deux côtés de la rue avant de traverser! Quand nous faisons des bêtises — quand nous ne suivons pas le régime —, nous nous punissons comme nos parents nous punissaient lorsque nous chapardions les affaires des autres enfants. Ainsi, les régimes nous confinent dans des comportements stéréotypés et nous maintiennent dans un état de dépendance. Nombreuses sont celles qui n'utilisent les régimes que pour s'infliger les gratifications et les punitions auxquelles elles ont été habituées pendant leur enfance.

Une enfant qui a été maltraitée croit qu'elle en est responsable — tout comme une personne qui se goinfre croit qu'elle manque de volonté. Plutôt que de se révolter contre son bourreau, l'enfant préfère s'en prendre à elle-même. Plutôt que de rejeter une fois pour toutes l'idée du régime, la boulimique se punit de ses excès en s'imposant un autre régime, plus strict encore.

Avec les régimes, la colère et l'humiliation restent à jamais dirigées vers nous-mêmes. Ils permettent ainsi à l'adulte de rester une enfant victime de l'oppression familiale et du système culturel et qui continuera, toute sa vie, à se punir parce qu'elle a été désobéissante.

C'est alors que les femmes viennent à mes ateliers. Je leur annonce qu'elles peuvent manger ce qu'elles veulent, quand elles veulent. Elles en bondissent de joie, pour bientôt s'apercevoir qu'elles en sont incapables. Leur emploi ne leur accorde qu'une courte pause-repas, comment pourraient-elles manger quand elles en ont envie? Comment pourraient-elles ne manger que des chocolats pour le dîner ou se gaver de pizza, alors que leurs maris suivent un régime sans cholestérol? Comment pourraient-elles se permettre de manger tout ce qu'elles veulent alors qu'elles sont déjà trop grosses?

Mais ce ne sont là que des excuses. La raison réelle en est que, si elles se permettent de manger ce qu'elles veulent — si en fait elles se permettent de faire ce dont elles ont envie — sans s'en punir par la suite, elles devront alors regarder la vérité en face. Leur père et leur mère, leurs professeurs, les hommes avec qui elles ont vécu, tous ceux qui ne leur ont pas fait confiance, tous ceux qui les ont maltraitées, battues, violées ont agi envers elles de façon injustifiable. Elles découvrent alors qu'elles ont droit à la gentillesse, à la tendresse et à l'attention et font ainsi, en douceur, un premier pas vers la prise de conscience, un premier pas vers une guérison définitive.

Quand nous finissons par comprendre, au plus profond de nous-mêmes, que personne ne peut savoir ce qui est bien ou bon pour nous mieux que nous-mêmes, nous plantons en nous le germe de notre autonomie et de la prise en charge de nos actes. Nos relations changent avec nos parents, avec l'homme de notre vie, avec nos compagnons de boulimie — partout où le mensonge et la négation étaient la base de nos relations. Une fois que nous avons aperçu le scintillement du véritable amour, si faible soit-il, il nous devient de plus en plus difficile d'être satisfaites par des relations où l'amour ne tient en réalité aucune place.

Ce genre de changements ne se fait pas d'un instant à l'autre, ni même du jour au lendemain. Vous ne déciderez pas, au milieu d'un repas en tête-à-tête, au moment de reprendre de la purée, que vous avez besoin de vous séparer pour quelques semaines. Vous ne vous réveillerez pas un matin en décidant que vous n'irez plus jamais visiter vos parents en Floride. Ces changements n'impliquent pas nécessairement séparation ou rupture brutale. Il suffit parfois seulement de décider de dire la vérité. Et surtout de vivre selon cette vérité.

Se libérer de la boulimie est un processus d'évolution et même de révolution. Nous devons abandonner notre rôle de victime. Nous sommes désormais libres de nos choix et responsables de nous-mêmes. Nous avons arrêté de compter sur quelqu'un d'autre pour venir nous libérer.

Se libérer de la boulimie signifie également se rebeller contre une culture qui nous encourage à nous définir selon des critères extérieurs: notre silhouette, notre poids, notre salaire. Un fabricant de prêt-à-porter affirmait:

«Nous vendons de l'amour, pas des vêtements. Si nous arrivons à convaincre l'acheteuse que notre marchandise lui apportera l'amour, nous avons atteint notre objectif.»

Les régimes sont un marché de plusieurs milliards de dollars. Les directeurs de centres d'amaigrissement qui inventent sans cesse de nouveaux régimes s'engraissent et s'enrichissent en nous convainquant que nous devons être toujours plus maigres. Ainsi personne, dans l'industrie des régimes, ne veut en fait que nous nous libérions réellement de nos problèmes de poids.

Par-dessus tout, nous libérer de la boulimie est difficile parce que — aussi minime cela soit-il — au moins avons-nous avec elle quelque chose. Nous ne voulons pas perdre ce quelque chose. Le changement est toujours effrayant, même s'il nous permet de nous libérer. Une mère brutale, c'est mieux que pas de mère du tout!

Lors d'une émission télévisée sur les enfants d'alcooliques, un femme déclara que, même si la relation avec sa mère était basée sur le mensonge, tout au moins y avait-il une relation. Elle avait trop peur, en osant dire la vérité, de la perdre. Une confrontation avec les parents n'est pas toujours indispensable à la guérison, mais, dans ce cas, croyant qu'elle avait besoin de cette relation avec sa mère pour vivre, la femme refusait de voir la vérité en face et continuait ainsi de vivre sa vie d'enfant victime.

Lorsque des boulimiques m'annoncent qu'elles ne peuvent pas suivre mes directives parce que leurs époux sont au régime ou que leurs enfants doivent manger du steak haché trois fois par jour, elles essaient en fait de refuser la responsabilité de leur comportement alimentaire. Je leur réponds alors que nombreuses sont dans la vie les choses qui sont hors de notre contrôle, mais que notre comportement alimentaire n'est pas ce celles-là. Il est, par contre, le reflet exact de notre attitude vis-à-vis de notre responsabilité et de notre autonomie. Nous devons voir clair en nous-mêmes. Ainsi, lorsque nous n'avions pas d'autre choix et dépendions totalement de notre milieu familial, le contrôle de notre vie n'était pas entre nos mains. Les choses ont changé. Nous devons apprendre à extérioriser notre colère et non l'enfouir en nous, sous des montagnes de sorbet.

En nous libérant de la boulimie, en nous libérant des régimes et de leurs règles strictes, en nous libérant des souffrances que nous nous infligions inutilement, nous apprenons que nous pouvons, dans un domaine de notre vie au moins, être autre chose qu'une victime. Nous développons ainsi notre confiance en nous. Nous apprenons à aimer notre corps, à respecter notre instinct, à découvrir les choix qui s'offrent à nous. Nous nous accordons le droit de vivre et d'aimer.

Il faut du courage et de la persévérance pour s'engager ainsi dans cette démarche. La boulimique devra en effet apprendre à ne plus rejeter sur son poids la responsabilité de tous ses malheurs. C'est là pour elle une dure exigence, car nombreuses sont celles qui utilisent la boulimie pour se punir des souffrances de leur existence:

«Si, chaque fois que ma mère me bat, je mange un sac de sucreries et me sens grosse et laide, je pourrai ainsi aisément justifier son attitude: Ma mère me bat parce que je suis grosse et laide. Ma mère n'est pas folle. Ma mère sait ce qu'elle fait. Ma mère sait ce qui est bon pour moi.»

La boulimie fut pour moi le moyen de préserver intact l'amour que je portais à ma belle et gentille maman. Je ne pouvais l'accuser, elle était ma mère et j'avais besoin d'elle. Et dans cette relation où nous n'étions que deux, il ne restait qu'une seule autre personne pour endosser toute la culpabilité: moi-même. M'accuser m'aida ainsi à créer un cadre dans lequel tout ce qui m'arrivait devenait compréhensible. Compréhensible et justifiable. Cela me permettait de croire que j'avais fait quelque chose de mal — manger trop, être égoïste — qui lui donnait le droit de me battre. Il suffirait alors que je change mon comportement — perdre du poids, être plus gentille — pour qu'elle arrête de me battre.

Le problème avec ce genre d'accusation est qu'elle fixe notre attention sur la personne avec laquelle nous avons une relation plutôt que sur nous-mêmes. Plus nous devenons obsédées par ce que cette personne fait — a fait, peut faire — pour que nous nous sentions aimées, et plus nous nous sentons impuissantes. Les vengeances imaginaires sont alors partie intégrante du processus de guérison. Vouloir blesser la personne qui nous a blessées indique que nous sommes enfin prêtes à nous défendre et à nous battre pour notre liberté. Mais ce n'est qu'en nous donnant toute notre attention et en assumant la responsabilité de notre changement que nous pourrons finalement guérir et nous épanouir pleinement.

J'ai passé tant d'années à m'interdire d'être en colère, tant d'années à me trahir, à me mentir — «Tu peux me battre autant que tu veux, maman, mais je t'en prie pas avec le balai» — , j'ai passé tant d'années à être désespérée, anéantie, croyant que tout était de ma faute, que c'est pour moi un progrès considérable que de pouvoir maintenant me mettre en colère et accuser quelqu'un d'autre. Se mettre en colère est une étape cruciale de la guérison. Il est important de reconnaître le choix que j'ai en tant qu'adulte, et que je n'avais pas étant enfant. Je peux me protéger et établir des limites claires et précises entre ce que je décide d'accepter ou de refuser. Je sais maintenant que je ne suis pas obligée de poursuivre une relation dans laquelle on ne respecte pas mes sentiments. J'ai enfin appris à exprimer ma souffrance et ma colère. Et tout cela sans avoir à accuser qui que ce soit.

Il y a de cela six ans, je passai, seule, l'été dans une maison pleine de charme et de pittoresque. Lorsque je m'enfermais dehors, un tournevis suffisait à ouvrir la porte de derrière. Si je n'avais pas de tournevis, il me suffisait d'ôter les deux clous qui condamnaient la fenêtre de la salle de bains. J'adorais tout dans cette maison: le soleil qui inondait la cuisine de lumière, la vue sur le jardin que l'on avait de la chambre ou de la cuisine et même de la salle de bains. J'avais même fini par aimer les statues de chérubins qui dépassaient des orties. Lorsque vous entriez dans la maison, une baie vitrée vous laissait voir le jardin. On y voyait des *delphiniums* et des pruniers l'été, des buissons comme des guirlandes de citrouilles naines l'automne et l'hiver, des parterres de myosotis au printemps. En toute saison, des cascades de vert: vert de mousse, vert émeraude, jaune vert. Durant l'été où je vécus seule dans la maison, un homme aux cheveux blonds, dans la trentaine, avec des taches de rousseur sur le nez et des pattes d'oie au coin des yeux quand il sourit — le genre d'homme dont vous dites quand vous le rencontrez: «Oh! quel doux visage» — cet homme, dis-je, viola neuf femmes en quatre mois et fut pour la dernière fois aperçu au bout de ma rue.

Le premier viol avait eu lieu en avril. Dès juillet, les femmes de Santa Cruz se réunissaient régulièrement dans la boulangerie du centre commercial de East Cliff Village. Mères, sœurs, maris, amis, membres de la police, de *Men against rape* et de *Women against rape*[1], nous cherchions tous frénétiquement un moyen d'arrêter ce violeur. Il fallait que nous sachions comment nous défendre si jamais nous étions réveillées à trois heures du matin par un homme au visage recouvert d'un bas nous disant: «Bouge pas, salope, ou j'te crève!»

Ellen suggéra que nous pourrions lui casser les dents d'un coup de tête ou lui lacérer le visage de nos ongles: «Je suis prête à lui casser sur la tête tout ce qui sera à ma portée, et à lui faire regretter d'être jamais venu chez moi!» Judith dit qu'elle lui donnerait un coup de pied dans les couilles, le mordrait autant qu'elle le pourrait: «Ce qui est sûr, dit-elle, c'est qu'il ne toucherait pas à un de mes cheveux — ni à ceux de ma fille. Jamais.»

Je gardais le silence. Je n'avais pas dormi plus de deux heures de suite depuis quatre mois: Chaque fois que le plancher craquait, que le réfrigérateur se mettait à vibrer ou qu'un chat renversait une poubelle, je bondissais hors de mon lit vers la porte de derrière et m'enfuyais en courant à travers le jardin. Au moment d'atteindre la clôture, je me rendais alors compte qu'il n'y avait pas de violeur dans la maison et retournais me recoucher. Je recommençais ce petit scénario deux, trois, voire quatre fois par nuit. Un soir, je crus l'entendre dans mon bureau et bondis sur le téléphone pour appeler la police. Une autre nuit, j'appelai Sara à minuit et demi, la réveillant pour lui raconter qu'il s'était introduit dans la cuisine. Je me réveillais six à sept fois par nuit, m'enfuyant dans le

---

1 • Groupes «Hommes contre le viol» et «Femmes contre le viol».

jardin une fois sur deux. J'étais comme une feuille de cellophane, affolée par le moindre courant d'air.

C'est alors que Cliff me parla des cours d'autodéfense dont il avait entendu parler dans le journal. Ceux-ci étaient organisés par un instructeur bardé d'une armure de trente kilos qui vous attaquait, sans arrêt, jusqu'à ce que vous lui asseniez, selon ses propres mots, un «coup à abattre un bœuf», un coup capable de tuer n'importe quelle personne n'ayant pas revêtu cette armure. Je me rappelle encore, lorsque Cliff me montra dans le journal la photo de l'instructeur harnaché dans son armure, que je commençai à trembler. Son casque était plus gros qu'une citrouille géante, avec deux trous pour les yeux. Il ressemblait à un Darth Vader gonflé à l'hélium. Il n'était pas question que je m'approche d'un tel monstre. De plus, raisonnais-je, la violence appelle la violence. Si je commence à penser en termes de violence, je vais attirer des hommes violents. Lorsque je parlai de ces cours à Lisa, elle me répondit:

«Tu peux arrêter la violence par l'amour. Elisabeth Kübler-Ross arrêta un jour un éléphant enragé qui fonçait sur elle, en lui envoyant simplement un message d'amour.»

«Ouah!, me dis-je, l'amour est capable de tout.» Mais lorsque je me réveillais en plein milieu de la nuit, l'amour n'était pas l'émotion dominante. Ce qui emplissait avant tout mon esprit, c'était la vision terrifiante de ma rencontre avec le violeur:

Trois heures du matin. Je suis réveillée par un bruit de porte que l'on enfonce. Je bondis hors de mon lit. Dans l'obscurité j'aperçois un homme, le visage recouvert d'un bas, s'avançant vers moi. «Pas un geste», m'ordonne-t-il. Je suis pétrifiée. Comme lorsque j'étais enfant, je me réfugie au plus profond de moi-même. Mon corps m'est étranger. Et je reste immobile, allongée sur le sol carrelé, sans dire un mot, tandis qu'il déchire ma robe de nuit puis me viole.

Horrifiée, paniquée par cette vision, je décidai de m'inscrire avec Ellen à des cours d'autodéfense.

Le premier cours fut terrifiant, le second aussi, de même que le troisième et le quatrième! Chaque fois que l'instructeur faisait mine de m'attaquer, je restais pétrifiée et me mettais à pleurer. Peu à peu, grâce aux directives de l'instructrice et au soutien des autres femmes, j'appris à réagir et à me défendre. Je réussis finalement l'examen du premier niveau et commençai le cours intermédiaire: deux hommes contre une femme. Mes amies me traitaient de masochiste. Mon chiropraticien m'informa que mon dos commençait à souffrir sérieusement des mauvais traitements que je lui infligeais. Mais la peur s'était cristallisée en moi et il fallait que je la brise. Au cours de ma troisième semaine de cours, alors que j'étais censée être immobilisée par un assaillant et violée par l'autre, j'arrêtai soudain de me défendre. Mes bras et mes jambes restaient sans force. J'avais abandonné le combat. Pour la première fois depuis mon enfance, je me revoyais montant à reculons les escaliers. Impassible devant ma mère, je savais que si je me défendais elle me battrait plus fort encore.

Je sentis les tresses de l'instructrice sur mon visage. Du coin de l'œil, j'apercevais le bout de ses chaussures rouges.

«Écoute-moi! criait-elle. Regarde-moi! Tu dois te défendre, Geneen! Ils te veulent du mal!

— Je m'en fiche! Je ne peux pas me défendre! Je me fous de ce qu'ils vont me faire! C'est trop dur! Ils sont trop forts!

Je me mis à pleurer à gros sanglots. Un des hommes me bâillonna, le second m'attacha les mains derrière le dos.

Danielle, l'instructrice, dit alors:

— Je ne sais pas qui t'a battue à ce point, Geneen, mais qui que ce soit, il ou elle avait tort. Personne n'a le droit de maltraiter quelqu'un ainsi. Jamais. Ce n'était pas ta faute. Maintenant, tu vas te lever et les empêcher de te faire du mal.

Je reste immobile. Je pense: Cela ne va plus durer longtemps, après je pourrai me reposer. J'entends l'un des hommes dire à l'autre:

— Elle ne se défend pas, Mario. On va pouvoir faire tout ce qu'on veut à cette salope!

Danielle prend mon visage dans ses mains et me regarde droit dans les yeux:

— Tu crois qu'ils vont s'arrêter, Geneen? Tu crois que si tu es suffisamment gentille, suffisamment faible, suffisamment obéissante, ils ne te feront pas de mal? Tu crois que tu peux les faire changer d'avis? Comme si leur comportement avait quelque chose à voir avec toi! Tu dois les arrêter, Geneen! Tu dois arrêter d'attendre ainsi immobile. Tu dois les arrêter! Maintenant!

J'entends de tous côtés les autres femmes me crier des encouragements:

— Roule sur le côté! Donne-lui un coup de genou dans l'estomac! Arrache-lui les yeux! Allez, Geneen! fais ce que te dit Danielle: Arrête-les! Maintenant!»

Je bondis, me défais de mes liens et fonce sur le plus grand. Il m'attrape par l'épaule. Prenant appui sur ma jambe droite, je lui lance de toutes mes forces la gauche dans l'estomac. Il se plie en deux de douleur. Je lui assène aussitôt un coup de coude sur la nuque. Il s'écroule, immobile. Le deuxième me prend à bras le corps et me jette sur le sol. Je le frappe du pied à l'épaule et le fais basculer à la renverse. Je me relève d'un bond et lui lance un coup de pied en plein visage. Il s'écroule, sonné. Je continue cependant de le frapper: à la tête, au ventre, au dos. Il finit, d'un signe, par me demander grâce. Danielle siffle la fin du combat.

Grâce aux cours d'autodéfense, j'ai appris que, si je veux me défendre efficacement contre quelqu'un qui essaie de me violer, je ne dois pas laisser mon attention se fixer sur sa violence et prendre panique. Si je laisse les gestes, les paroles, les intentions de mon agresseur m'étourdir, je risque de perdre toute volonté. Je dois, malgré la présence de deux molosses de plus de deux mètres, arriver à garder la tête froide et ne pas perdre ma résolution de me battre. Je dois garder à l'esprit ma conviction que personne n'a le droit de me violer et que je dois donc tout faire pour les arrêter. Je peux alors utiliser ma peur et ma colère pour me battre avec la férocité d'une tigresse qui défend ses petits.

Bien sûr, dans la réalité, et en particulier si les agresseurs sont armés, il n'est pas toujours possible — ou sage — de se défendre. On ne m'a pas enseigné que la personne que l'on viole et qui ne se défend pas est faible ou doit être condamnée, mais plutôt que, en tant qu'adultes, nous avons le choix — en toute situation — de décider de notre attitude. Choisir de ne pas nous défendre peut être la décision qui nous sauvera la vie. Mais cela doit être un choix. Une victime cesse d'en être une au moment même où elle prend conscience du pouvoir que représente pour elle le fait d'avoir le choix.

Une autre leçon que j'ai apprise à ces cours est que l'on ne peut jamais être assez gentille, assez mince, assez généreuse, assez obéissante, assez attirante pour dissuader ceux qui nous maltraitent. Nous ne pouvons forcer quelqu'un à nous aimer ou le changer contre son gré. Nous ne devons donc pas chercher à nous venger de quelqu'un qui nous a blessées, à changer quelqu'un qui s'entête à vouloir sa perte, à forcer quelqu'un à nous aimer. Car, tant que notre bien-être et notre estime de nous dépendront de ceux qui nous entourent, nous serons toujours cette enfant qui recherchait l'amour de son père, qui espérait que sa mère l'appelle «ma chérie», cette enfant qui plus tard rechercha la faveur de ses professeurs et était prête à tout pour que ses amies l'acceptent dans leur club, cette enfant qui, devenue adulte, attend toujours que la gentillesse vienne faire éclore la fragile fleur de son cœur.

Marjorie participait à l'un de mes ateliers. Elle raconta au groupe qu'elle avait passé les quatre dernières années de sa vie à se goinfrer et à vomir. Je lui demandai ce qui s'était passé quatre ans plus tôt.

«Je fus violée par un ami, répondit-elle.

— Veux-tu nous en parler?

Elle acquiesça d'un signe de tête, puis commença ainsi:

— Ce fut horrible. Je criais, le frappais, le repoussais, le mordais, mais rien n'y faisait, il était plus fort que moi et je dus abandonner le combat. J'étais couverte de blessures, mais ne dis rien à personne. Je voulais que personne ne sache. Jamais. Je dus cependant en parler à mon petit ami. Il fit tout ce qu'il put pour m'aider, en vain. Je ne supportais plus qu'il me touche. Je n'avais jamais fait l'amour avec un homme auparavant et l'idée m'en était devenue insupportable. Mon petit ami rompit et je commençai à me goinfrer. À me goinfrer et à vomir. Cinq, six fois par jour. Je m'aventurais seule la nuit dans des quartiers mal famés, me goinfrant pour ensuite vomir dans les poubelles. Je me disais que j'étais coupable d'avoir été violée, que je n'aurais pas dû me laisser faire, que je l'avais peut-être même inconsciemment désiré, et surtout que j'aurais dû tout faire pour me défendre. Je me sentais si sale, si dégoûtante, si souillée. Lorsque je fus hospitalisée à la suite d'une tentative de suicide, on me prêta votre livre. Je le lus et je compris que ma vie ne tenait qu'à un fil. Je voulais vivre! Je commençai une psychothérapie avec un merveilleux analyste, un homme, et depuis quelques semaines je réussis même à ne plus vomir. Mais cela m'a pris tellement de temps! Le plus long fut pour moi d'accepter que cela pouvait ne pas être ma faute. J'avais l'impression d'être morte et cela fut un dur voyage que de revenir à la vie.

Quand elle raconta ensuite son enfance, elle expliqua que son père était alcoolique.

— Jusqu'au viol, je ne m'étais jamais retournée sur mon passé. Pour moi, le viol a été comme une déchirure par laquelle toute la haine de moi-même que j'avais accumulée pendant toutes ces années s'est échappée. Je ne pouvais plus me supporter. Me goinfrer et vomir était la chose la plus dégoûtante que je pouvais m'infliger.

— Tu n'as fait que trouver une raison de te haïr, lui dis-je.

— J'étais déboussolée, je me sentais si humiliée. Mon père m'avait déjà violée à plusieurs reprises quand j'étais enfant mais je n'en avais parlé à personne. À l'époque aussi, j'avais cru que c'était ma faute. Et j'avais tout fait pour l'oublier. Je ne m'en souvenais même plus, jusqu'à ce viol.»

Marjorie n'est pas responsable de ces viols. Point final. Mais les moyens de cicatriser les blessures résultant des viols de son père, de cet autre viol, et de la tentative de suicide qui s'en est suivie sont entre ses mains à elle et non entre celles des violeurs.

Lorsque nous avons été brutalisées, que ce soit physiquement, sexuellement ou émotionnellement, le processus de guérison requiert que nous passions par les diverses étapes que sont le déni, la panique, la colère, le chagrin et, pour finir, l'acceptation[2]. Il n'y a pas de raccourci ou de meilleure façon de traverser les étapes de la guérison et personne ne peut vous dire combien de temps cela prendra. On ne peut éviter aucune émotion: Ce n'est qu'en la traversant que l'on peut s'en libérer.

Si vous êtes prêtes à affronter chacune de ces émotions plutôt que de faire tout ce que vous pouvez pour les refouler, et si vous avez au moins une personne à qui vous pouvez avouer toute la vérité, quelqu'un qui croit en vous, qui vous accepte et vous aime telle que vous êtes, vous pourrez alors passer à travers et vivre au-delà de ces humiliations, de cette brutalité, de cette souffrance — aussi horribles qu'elles fussent.

Certaines personnes n'arrivent pas à guérir. Elles restent prisonnières de l'une de ces étapes. Elles ne peuvent plus avancer car elles sont terrorisées à l'idée de devoir accepter la réalité des événements ou des émotions qui y sont associés.

Mon amie Poppie m'a raconté le mois dernier qu'elle était pour la première fois allée voir un analyste. Celui-ci lui a affirmé qu'elle avait beaucoup de choses à pleurer... Son père l'a abandonnée à trois ans sur le perron des voisins et elle n'a pas vu sa mère depuis trente-cinq ans. Bien que Poppie ait récemment repris contact avec son père, elle est toujours furieuse contre lui. Lorsqu'elle parle de lui, la plupart de ses phrases commencent par: «Après tout ce qu'il m'a fait subir...» Ainsi, lorsqu'elle oublie l'anniversaire de son père, lorsqu'elle ne l'appelle pas pendant des semaines, lorsqu'elle arrive avec plus d'une heure de retard à leur rendez-vous, elle se dit toujours: «Après ce qu'il m'a fait subir, il n'a vraiment pas le droit de se plaindre!»

Poppie ne veut pas entendre parler de revenir sur son passé:

«Lorsque cet analyste m'a dit que j'avais, dans mon passé, beaucoup de choses à pleurer, je lui ai répondu: Je ne veux plus rien savoir de mon passé, seul mon futur m'intéresse!»

---

2 • Voir la description que fait Elisabeth Kübler-Ross de ces différentes étapes du deuil dans *On death and dying* (New York, Macmillan, 1969). Bien que faire le deuil d'une personne disparue soit — sur de nombreux points — différent de faire celui des années perdues, les étapes sont similaires et la lectrice pourra y trouver des informations utiles. En français, *Les Derniers Instants de la vie*, Genève, Labor et Fides, 1975.

Poppie reconnaît qu'elle a souffert. Elle m'a raconté comment la voisine, Josephine, la bâillonnait en lui enfonçant une prune dans la bouche et lui attachait les mains derrière le dos. Mais sa voix est dénuée d'émotions, froide comme un bloc de glace. Si elle reconnaît avoir souffert, elle refuse d'en reconnaître les conséquences. Elle est ainsi en colère contre son père depuis trente-cinq ans. Et depuis trente-cinq ans, sa colère tourne comme un disque rayé: «Après ce qu'il m'a fait subir... Après ce qu'il m'a fait subir... Après ce qu'il m'a fait subir...» En accusant ainsi son père de tous les malheurs qu'elle a subis depuis son enfance, Poppie évite de voir les effets que sa colère a eus sur elle-même.

Poppie s'est remariée le mois dernier. C'est son troisième mariage et elle proclame bien haut qu'elle est follement amoureuse de son nouveau mari. Elle prétend qu'elle n'a jamais été aussi heureuse et m'a déclaré:

«Cette fois c'est la bonne, Geneen! C'est lui l'homme de ma vie, j'en suis sûre. Et puis, qu'est-ce qu'un analyste y connaît, de toute façon? Pourquoi devrais-je revenir sur mon passé?»

Mais la souffrance de son enfance est toujours là: enfermée dans son corps, inscrite dans chacune de ses cellules. Dès que son mari fera la moindre chose qui évoquera en elle toute cette constellation de souvenirs douloureux, Poppie déchaînera sur lui la colère qu'elle ressent d'avoir été bâillonnée avec des prunes par sa voisine. Lorsque son mari reviendra en retard d'un voyage d'affaires, elle se sentira comme la petite fille de trois ans que son père a abandonnée. Son mari devra alors subir la souffrance, la panique, la colère d'une enfant que Poppie fait tout pour refouler. Ses réactions seront hors de proportion vis-à-vis des faits. Comment pourra-t-il alors deviner la cause profonde d'un comportement que Poppie elle-même refuse de reconnaître? Je suis prête à parier qu'il ne s'écoulera pas longtemps avant que je ne l'entende à nouveau se plaindre de son mari. Elle se réfugiera alors dans son refrain fétiche: «Après ce qu'il m'a fait subir... Après ce qu'il m'a fait subir... Après ce qu'il m'a fait subir...»

❤ ❤ ❤

Une amie de Matt[3] raconte que lorsque nous nous installons avec la personne que nous aimons, nous arrivons avec, à la main, «une pleine valise de vieux vêtements» provenant de nos relations précédentes, de notre adolescence, de notre enfance. Après quelque années de vie commune, après avoir travesti l'autre avec tous les vêtements de notre valise, nous nous exclamons avec la plus totale et la plus sincère incrédulité: «Tu n'es plus celui dont je suis tombée amoureuse, je te reconnais à peine!»

Nous ne pouvons avancer vers le futur en nous coupant de notre passé.

Nous ne pouvons avoir de relation satisfaisante tant que nous refusons de guérir auparavant nos souffrances passées.

Pour guérir, encore faut-il croire que la guérison est possible. Notre volonté de guérir doit pour cela être plus forte que les émotions dont nous avons peur: colère, peine, tristesse. Nous devons vouloir guérir plus que n'importe quoi — ou n'importe qui — au monde.

En pratiquant la méditation introspective[4], nous apprenons, assises et en silence, à observer les émotions qui passent et repassent dans notre esprit. Crainte, angoisse, peur. Nous observons la peur et nous l'étiquetons: «Peur». Nous observons alors la manière dont la peur se manifeste dans notre corps, comment notre estomac se noue, comment notre poitrine se serre, la tension sur notre visage et dans nos membres. Sans intervenir, nous continuons de respirer lentement — inspirer, expirer — tout en observant la peur se développer en nous. Nous ne devons surtout pas essayer de la repousser. Nous devons en accepter la souffrance. Plus nous la pénétrons, plus

---

3 • Annette Goodheart, merci!

4 • Pour vous guider dans cette méditation, reportez-vous à *Seeking the heart of wisdom*, de Joseph Goldstein et Jack Kornfield (Boston: Shambala, 1987).

nous découvrons nos peurs les plus profondes, les plus anciennes: ne pas être aimée, être abandonnée... Nous continuons toujours, respirant lentement et observant attentivement, et finissons par dépasser l'origine de notre peur. Celle-ci alors disparaît. Nous ne ressentons plus aucune souffrance. Nous continuons de respirer lentement, notre esprit au repos. Nous sommes de retour dans le présent. Être pleinement dans l'instant présent, sentir toute la subtilité des sensations, des émotions, nous ouvrir aux couleurs, aux sons, aux odeurs, être pleinement conscientes des richesses de l'instant que nous vivons — et pas de ceux que nous avons vécus, que nous aurions pu vivre ou que nous aurions voulu vivre —, c'est là ce que «vivre» signifie vraiment.

Les jours qui suivirent ma conversation avec Dick dans le foyer de l'hôtel *Claremont*, je me sentis bouleversée. Je l'en tenais pour responsable. Je n'arrêtais pas de ressasser ce que j'aurais voulu lui dire: que rien ne m'énerve plus que lorsque l'on me cite les dix commandements, que s'il voulait me parler, c'était à la table ou pas du tout, qu'il ne se gênait pas pour faire ce qu'il voulait interdire aux autres. J'aurais surtout dû me protéger.

Cet incident déclencha en moi un raz-de-marée de souvenirs qui me submergea et contre lequel j'étais sans défense. Dick devint pour moi le symbole de toutes ces personnes contre qui je ne savais pas — ou n'avais pas su — me protéger. J'en avais même oublié que, dans ce cas-ci, j'avais très bien réussi à me défendre. Il était devenu la cause de toutes mes souffrances et je voulais me venger. Je pensais que le faire souffrir me soulagerait. Je voulais le vaincre pour me sentir forte. Il était devenu la victime expiatoire de toutes mes souffrances.

Je lui écrivis une lettre où je déversais toute ma colère et décidai, avant de l'envoyer, de la lire à Matt.

«C'est beaucoup pour un seul homme! commenta-t-il.

— C'est tout ce que tu as à dire?

Silence. Je n'aurais pas dû faire lire cette lettre à Matt. Il est toujours trop conciliant. Toujours à essayer de communiquer. Toujours en train d'essayer d'arranger les choses, essayant de ne froisser personne, évitant tout conflit.

Matt finit par répondre:

— Peut-être serait-il bon que tu cherches à comprendre ce qui te pousse réellement à lui envoyer cette lettre. Si tu veux vraiment te battre avec Dick et envenimer la situation, poste-la. Mais si je recevais une telle lettre, je serais tellement occupé à me défendre contre tes attaques que je n'aurais même pas le temps de comprendre ce que tu veux me dire.

— Que dois-je donc faire, selon toi? Tendre l'autre joue? Je ne suis pas vertueuse, je suis furieuse! Je pense qu'il s'est comporté comme une ordure et je veux le lui faire savoir!

— Qu'a-t-il donc fait de si horrible? Ce gars ne pensait pas à mal, il cherchait seulement à protéger ta mère. Cela a été horrible pour toi, parce qu'il t'a replongée dans ton passé. Ce qui te fait mal s'est passé il y a plus de vingt ans. Dick n'a rien à voir là-dedans.

Matt a raison. Je le déteste quand il a raison, en particulier lorsque je sais, au fond de moi, que j'ai tort. Mais je veux quand même envoyer cette lettre. Je veux ma revanche. Plus je ferai souffrir, moins j'aurai mal. Matt m'observe avec attention:

— À quoi penses-tu?

— À ma revanche.

— Voilà donc, dit-il dans un grand sourire qui dévoile ses dents, la façon dont une personne responsable réagit à sa souffrance!

— Précisément!» lui répondis-je. Mais je sentis, pour la première fois depuis des années, une fissure dans la muraille que j'avais bâtie, pour me protéger, tout autour de moi.

Ma colère dura plus d'une semaine. Je me battais, lors de mes séances d'analyse, pour découvrir quelles vieilles émotions avaient été réveillées par ma conversation avec Dick. Je méditais chaque matin et observais la colère bouillonner en moi. Je l'étiquetais: «Colère». J'en discutais avec Matt et avec mon amie Sara. Je notai tout ce que j'observais dans mon journal et écrivis à Dick trois lettres que je ne lui envoyai pas.

Lorsque j'écrivis, et finalement envoyai, la quatrième lettre, la colère s'était transformée en tristesse, la tristesse en acceptation et l'acceptation en ouverture. La lettre était claire et sans colère. J'y expliquais les raisons pour lesquelles j'écrivais ce livre et pourquoi sa publication n'était pas sujette à discussion. Je lui expliquais aussi que mon désir le plus vif était de me débarrasser de mon passé afin d'établir une nouvelle relation avec ma mère, basée sur l'amour.

Quand je revis Dick, il me dit:

«J'ai relu le passage sur Molly dans ton deuxième livre. Une dizaine de fois. Et je me suis mis à pleurer. Je ne pouvais plus m'arrêter. Je ne l'avais pas relu depuis que le livre était sorti, il y a de cela sept ans. Je n'avais pas pu supporter ta souffrance, Geneen. Quand je te lis, je ne peux m'empêcher de la ressentir et cela me fait peur. Je ne peux pas imaginer que tu aies tant souffert. C'est trop dur. J'ai peur de finir par en vouloir à Ruth. Me pardonneras-tu d'avoir agi comme un imbécile?»

J'ai de la chance de connaître quelqu'un comme Dick. Il est rare que des parents acceptent ainsi de se regarder en face avec une telle honnêteté. Il respecte ce que je dis et accepte que mes idées et émotions puissent avoir un impact sur sa vie. Il n'a pas peur de reconnaître qu'il a fait des erreurs. Quand il s'excusa, je lui avais déjà pardonné.

J'avais réussi à exprimer ma vérité. J'avais refusé de me trahir.

J'avais finalement abandonné la responsabilité du bonheur de ma mère et arrêté de la protéger des blessures qu'elle s'était elle-même infligées. En cessant de m'accuser de ses souffrances, je cessai de l'accuser des miennes.

J'avais achevé le cycle de la souffrance et j'en émergeais avec un cœur paisible. Un cœur paisible est tout ce que j'avais toujours désiré. Je le possédais enfin.

❤ ❤ ❤

8

Puiser à la force de ses faiblesses

Lorsque nous habitions à Jackson Heights, de l'autre côté de la rue, dans un petit appartement sombre et mystérieux, vivait une femme du nom de Bette Davis. Ses rideaux étaient de velours vert avec des franges noires et le plancher de son appartement couvert de pivoines. Toutes les excuses étaient bonnes pour aller chez elle, je la trouvais fascinante. Elle portait le même nom que l'actrice, avait un grain de beauté sur la joue droite, et ses cheveux sentaient l'eau de rose. J'adorais m'asseoir dans son siège à bascule et la questionner sur sa vie tandis qu'elle crochetait des petits carrés de cachemire jaunes et noirs. Où était-elle née? Voulait-elle se marier? Quel était son travail? Bette avait vingt-six ans, était hôtesse de l'air... et je voulais qu'elle soit ma mère!

Lorsque je la quittais pour rentrer chez nous, je n'arrêtais pas de rêver à ce que serait ma vie si Bette était ma mère. Elle ne crierait jamais après moi, j'aurais un grain de beauté sur la joue droite et surtout ma vie embaumerait la rose.

Lorsque je pris des cours de ballet, je voulus alors que ce soit Sandy, notre professeur, qui soit ma mère. Je m'entraînais à marcher, comme elle, les pieds ouverts et frisais de longues mèches de cheveux sur mes tempes pour ressembler à sa fille Chloé. Lorsqu'elle m'invita à dîner, elle me servit du jambon avec des ananas. Je fermai les yeux et mangeai tout le jambon — craignant à tout instant que la colère de Dieu ne s'abatte sur moi. J'étais prête à tout pour qu'elle m'appelle sa «chérie» et me lise des contes de fées le soir avant de m'endormir.

Lorsque le président Kennedy fut assassiné, je voulus que Jackie soit ma mère. Je voulais être aussi célèbre que ses enfants, Caroline et John-John. Je voulais pouvoir faire comme eux preuve de courage face à la tragédie.

Au lycée, je voulus que la mère de mon petit ami Ray m'adopte, qu'elle me fasse chaque soir une place à table pour le dîner, s'intéresse à mes devoirs et remplisse le réfrigérateur de glace et de tarte aux fraises — qui étaient à l'époque la base de mon alimentation.

J'achetai à la mère de mon amie Jil, qui les collectionnait, des bougies parfumées en forme de lutin. Je la trouvais si belle, je voulais qu'elle m'aime.

La mère de Mark, elle, me donnait des sablés. Plus tard, elle m'écrivit à l'université pour me dire que j'étais très intelligente et qu'elle était fière de moi.

Et ce fut à la mère de Nona que je demandai conseil à propos de sexualité et de contraception.

Chaque fois que je me faisais un ami, je désirais aussitôt faire partie de sa famille. Je désirais tant vivre dans une famille unie où le père et la mère fussent là à l'heure du dîner. Une famille qui passât ses dimanches après-midi au Musée d'histoire naturelle et qui, l'été, partît, tous ensemble, camper sur les bords d'un lac. Je voulais, moi aussi, vivre dans le doux cocon d'une famille heureuse. Par-dessus tout, je voulais vivre n'importe où plutôt que dans ma famille.

Pendant une année — de mes douze à treize ans — je me rendis le dimanche matin à des cours de religion. Madame Bernstein nous y parlait de Moïse, Jacob, Ruth et Noémi. Elle nous parlait de Pharaon et du massacre des premiers-nés, du pain non levé que l'on mange pendant la Pâque, du shofar que l'on souffle à Rosch Hashanah. Rabbi Weisman lui aussi nous racontait des histoires et nous l'écoutions, sagement assises sur de longs bancs de bois, notre livre de prières sur nos genoux, dans son étui de velours bleu:

«Il était une fois, il y a de cela bien, bien longtemps, un rabbin qui un jour emmena les gens de son village près d'un grand arbre mort. Il leur dit que c'était l'arbre aux soucis et qu'ils pourraient y accrocher les leurs. Tous sortirent alors leurs soucis de leur sac. Certains les avaient cousus sur de long rubans d'étoffe blanche et rouge, d'autres, qui en avaient moins, les avaient simplement cousus sur un petit carré de soie bleue. Il fallut de nombreuses heures pour que les villageois accrochent tous leurs soucis sur l'arbre, et l'on crut un moment qu'il n'y aurait pas assez de place sur les branches pour tous les y accrocher. Mais les sacs finirent par être vides, et l'arbre mort rayonna de toutes les couleurs de l'arc-en-ciel. Son feuillage multicolore ondoyait sous le vent. Les villageois organisèrent alors une fête, chantant, dansant, mangeant, buvant et discutant jusqu'à la tombée de la nuit. C'est alors que le rabbin leur dit: ‹Il faut rentrer maintenant. Chacun de vous va devoir reprendre des soucis sur l'arbre. Vous pouvez reprendre les vôtres ou bien prendre ceux d'un autre. Lesquels allez-vous choisir maintenant?»

À ce moment de l'histoire, je me disais que, si j'avais été présente, et Glenna aussi, j'aurais sûrement pris les siens. Ses parents rentraient tous les soirs pour dîner et l'emmenaient tous les dimanches en promenade. Ou ceux de Randy. Elle ne semblait pas en avoir, ou bien ceux-ci étaient si minimes que les petits morceaux de soie sur lesquels elle les aurait cousus auraient été emportés par le vent.

«Et que croyez-vous que les villageois aient fait? demanda le rabbin.

Ronald Smith répondit:

— Je pense que cela dut être la foire, soit personne n'arrivait à décider quels soucis prendre, soit tous voulurent les mêmes.

— Eh bien! non, raconta le rabbin, tous préférèrent rentrer chez eux avec leurs propres soucis. Personne ne voulut faire d'échange.»

«Moi, si! pensais-je. Et comment! Tout plutôt que ma famille, tout plutôt que mes parents!» Je croyais à l'époque que — comparés à mes angoisses — les soucis des autres ne devaient pas être grand-chose.

Depuis, j'ai changé d'avis.

Hemingway écrivait que, pour chacun de nous, la vie n'est qu'une suite de chocs, mais que c'est aussi par les fêlures qui en résultent que certains acquièrent leur valeur. Guérir consiste donc à puiser notre valeur, notre force, dans nos fêlures, nos faiblesses.

Enfant, je m'étais créé un univers imaginaire parce que le monde extérieur était trop dur pour moi. Je m'y inventais des histoires pleines de planètes aux anneaux flamboyants peuplées d'oiseaux de toutes les couleurs. J'écrivis mon premier livre à douze ans. Je devins écrivain.

Enfant, j'appris aussi à entendre le non-dit, à lire sur le visage de ma mère, dans le regard de mon père, à voir ce que les autres ne regardaient même pas. Je devins professeur.

J'appris aussi qu'il ne faut pas se fier aux apparences, que l'argent ne fait pas le bonheur. J'appris à connaître la mort, la violence, le mensonge et le vol. Mais j'appris aussi la valeur de l'humour, de la détermination, de l'endurance. Je fus brisée en mille morceaux et ce je suis est ce que j'ai fait de ces morceaux reconstruits.

Lorsque je compris que l'on pouvait se libérer de la boulimie sans régime, je mis une petite annonce dans le journal :

«**Groupe d'entraide pour boulimiques:** Je crois qu'il est possible d'arrêter les régimes et de perdre du poids. Je pense qu'il est possible d'apprendre à se nourrir selon ses besoins et que nous devons trouver la véritable raison de notre boulimie. Si vous voulez vous joindre à moi, appelez-moi: Geneen… Le coût est de un dollar par réunion, pendant dix semaines.»

Dix femmes m'appelèrent et décidèrent de se joindre au groupe. Comme je n'habitais pas à l'époque un appartement assez grand pour y organiser de telles réunions, je demandai à mes amis Sue et Harry de tenir ces réunions dans leur maison. Le chemin en était difficile à trouver. Je donnai donc rendez-vous aux participantes devant un magasin d'où elles pourraient me suivre en auto jusqu'à la maison de Sue et Harry.

Je pesais à l'époque vingt kilos de plus qu'aujourd'hui et voulus faire un effort de présentation pour la première réunion. Je décidai donc de me faire faire une permanente. Mais mes cheveux sont si fins que je dus dormir deux nuits avec des bigoudis, et lorsque je retournai au salon de coiffure, le jour même de la réunion, ce fut pour apprendre que mon coiffeur avait dû être hospitalisé d'urgence et que je devais garder mes bigoudis une nuit de plus.

C'est donc ainsi que je dus accueillir les dix femmes qui m'attendaient devant le magasin. «Bonjour, c'est moi, leur annonçai-je avec mes vingt kilos de trop et mes bigoudis dans les cheveux, je suis l'animatrice du groupe.» L'une d'elles en resta bouche bée. Une autre partit aussitôt: «Excusez-moi, mais je dois rentrer chez moi.»

Toutes ces années passées à me goinfrer et à suivre des régimes furent pour moi un enfer, mais le chemin que j'ai dû emprunter pour en sortir m'a permis de faire de la boulimie mon alliée. C'est grâce à elle que j'ai appris à avoir confiance en moi, à rire de moi, à faire preuve de courage, à prendre des risques et à profiter de la vie comme jamais je ne l'avais fait auparavant. J'ai utilisé la souffrance de la boulimie pour découvrir ce que j'avais refoulé en moi. J'ai appris à éprouver de la compassion envers les autres personnes qui souffraient de troubles alimentaires. J'ai enfin pu comprendre ce qu'étaient vraiment la confiance, la peur, le respect et l'appréciation de soi. Ce qui était, lorsque j'étais enfant, mes plus grandes faiblesses est devenu pour l'adulte que je suis la principale source de sa force. Si nous sommes fortes aujourd'hui c'est grâce à — et non pas malgré — nos faiblesses d'alors.

Ce n'est pas la blessure qui détermine votre vie, mais la manière dont nous la vivons: comment nous la supportons, l'acceptons, la soignons, ou comment nous la laissons au contraire nous infecter.

Personne ne peut dire où nos rêves prennent racine ni ce qui nous donne la force de les réaliser. Le père de Lucille Ball mourut lorsqu'elle avait cinq ans. Sa mère se remaria et l'envoya vivre chez des parents éloignés. Ceux-ci lui passèrent un collier de chien autour du cou et l'accrochaient à un arbre au fond du jardin afin d'éviter qu'elle ne s'échappe. Si son corps était enchaîné, son esprit, quant à lui, restait libre. Elle s'inventa une amie du nom de Sasafras qui venait la réconforter et lui promettait qu'un jour elle serait une vedette de cinéma.

Vivre est ce qui nous arrive quand nous vivons avec nos blessures et non lorsque nous cherchons à les mettre de côté pour commencer à vivre. Les cicatrices sont indélébiles. Il serait tout à fait inutile de vouloir les dissimuler, de vouloir nous dissimuler que nous sommes des êtres fragiles, et que nous serons à nouveau blessées.

En janvier, l'année dernière, Matt et moi sommes allés en avion à Phoenix. Arrivés à destination je décidai, tandis que Matt attendait les bagages, d'aller au comptoir pour réserver le billet d'un prochain voyage. La queue était longue et je dus attendre plus d'une demi-heure. Matt et moi ne nous étions pas donné de rendez-vous précis ni quant au lieu ni quant à l'heure. Je décidai donc de l'attendre à l'endroit où je me trouvais. Dix minutes, un quart d'heure, une demi-heure passèrent. Je commençai à m'inventer une histoire:

«Il est allé directement à l'hôtel. Je ne connais pas le nom de notre hôtel. Pas de panique! Je vais aller dans un des hôtels de l'aéroport et appeler régulièrement notre répondeur pour voir s'il y a laissé un message. Nous finirons bien par nous retrouver! Si ce n'est pas le cas, tant pis! je rentre demain par le premier avion!»

Tant pis? Mon cœur battait la chamade. J'étais folle à l'idée que Matt ait pu partir sans moi et réagissais une fois de plus comme l'enfant qui doit, toute seule, s'occuper d'elle et faire semblant de ne rien ressentir. C'est alors seulement qu'il me vint à l'esprit que je pouvais le faire appeler par le service d'information de l'aéroport. Trois minutes plus tard, il m'avait rejoint.

«Je croyais que tu étais parti sans moi!

— Tu croyais quoi?

— Je pensais que tu m'avais oubliée...

— Tu plaisantes! Je passe ma vie avec toi, je passe mes nuits avec toi, je viens de trimballer tes treize valises et tu crois que je pourrais t'oublier! Cela fait une heure et quart que je t'attendais patiemment au comptoir à bagages.

— Ah bon...»

Je suis de celles que l'on abandonne. Du moins le croyais-je. Voilà de cela trois ans, je commençai par ne plus adresser la parole à Matt pendant les trois jours précédant chacun de ses voyages. Puis j'inventai le «rituel du départ»: La veille, nous devions nous asseoir face à face pendant une demi-heure et nous dire tout ce que nous avions sur le cœur. Moi:

«Si tu m'aimais vraiment, tu ne me quitterais pas ainsi! Si tu me quittes, c'est que tu ne m'aimes pas vraiment! Et je ne veux pas souffrir en aimant quelqu'un qui ne m'aime pas...»

Lui:

«Je ne suis ni ton père, ni ta mère! Je rentre dans deux jours à peine! Et tu sais très bien que je t'adore!»

Ce rituel dura environ un an, puis la blessure s'envenima. Je finis par ne plus adresser la parole à Matt pendant les trois jours suivant ses retours.

On ne peut effacer les cicatrices de nos blessures. Être de celles que l'on abandonne est un symptôme qui ne disparaîtra jamais complètement. Il variera selon les années, selon le degré de respect que j'aurai de moi-même, mais aussi selon les risques que je serai prête ou non à prendre, selon la patience dont je voudrai faire preuve et de la pitié que j'arriverai à éprouver envers cette partie de moi qui craindra à jamais d'être abandonnée. C'est la façon dont je réussis à travailler avec cette peur d'être abandonnée qui modèle les formes et reliefs de ma vie comme une rivière trace, dans le roc, un canyon.

Guérir signifie savoir ouvrir son cœur, et non le fermer, en assouplissant les parties de nous-mêmes qui ont été closes par la douleur. Guérir est un processus complexe. Cela doit être un aller-retour incessant entre la souffrance du passé et la plénitude de l'instant, afin d'être de plus en plus dans le présent. Ce n'est qu'en faisant ces allers et retours que l'on peut guérir et non en se cantonnant dans l'un ou l'autre de ces deux moments. Guérir ne signifie pas être à jamais heureuse, une telle chose est impossible. Guérir signifie être pleinement consciente, choisir de vivre pleinement pendant que l'on est en vie plutôt que d'être en perpétuelle agonie. Guérir, c'est comprendre que ce sont nos faiblesses elles-mêmes qui feront plus tard notre force.

Lorsque nous nous apercevons — à un, trois ou cinq ans — que nous sommes trop faibles pour survivre au monde dans lequel nous nous trouvons, nous nous protégeons en nous entourant d'un plâtre, sur lequel nous commençons alors à faire de jolis dessins et à écrire notre nom. Les autres aussi se mettent à y dessiner et y écrire leur nom. Et nous les laissons faire... Plus tard, lorsque nous sommes adultes et que ce plâtre commence à nous étouffer, nous nous sommes tellement habituées à la sensation de l'avoir, nous sommes tellement attachées aux dessins multicolores qui le recouvrent, que nous en avons fini par oublier la personne qui vit dessous.

Quand nous finissons par ne plus supporter la douleur que nous inflige ce plâtre qui entrave tous nos mouvements, lorsque nous nous rendons finalement compte que cette carapace est trop étroite pour nous et que nous devons nous en débarrasser, l'effort de la briser semble si énorme et si douloureux pour nos pauvres membres affaiblis que nous préférons y renoncer. Nous finissons alors par nous apercevoir que, tout autour de nous, les gens vivent dans les mêmes conditions et semblent passer tellement de temps à s'admirer, et même à s'envier leurs plâtres, que nous finissons par nous demander, nous aussi, si nous ne ferions pas mieux de le garder. Peut-être cela fait-il partie de mon corps? Mais comment donc font-ils pour être si heureux dans cette carapace? Et nous nous sentons — une fois de plus — seules au monde.

La boulimie est notre plâtre, pas notre fracture, bien que la plupart de nous préférions croire le contraire.

Il y a cinq ans, je reçus un coup de téléphone de Karen Russel, une femme de Vancouver, au Canada, qui voulait assister à un atelier que je donnais à Santa Cruz. Lorsque je lui demandai de me parler d'elle, elle me dit qu'elle avait lu mon livre et que celui-ci l'avait beaucoup touchée. «Je pèse près de deux cents kilos», me confia-t-elle simplement. L'atelier était complet, mais je lui promis de la prévenir si une place se libérait.

J'appelai aussitôt Sara, qui animait l'atelier avec moi, et lui racontai le cas de Karen. Sara me demanda alors:

«As-tu déjà travaillé avec quelqu'un qui pèse plus de cent cinquante kilos?

— Non, jamais.

— Peux-tu t'imaginer quelqu'un de deux cents kilos?

— Non, répondis-je, mais ce qui me préoccupe le plus, c'est de savoir si elle devrait ou non venir. Est-elle capable de s'asseoir sur une simple chaise? C'est un long voyage pour deux jours seulement. Peut-être serait-il mieux de la référer à quelqu'un de Vancouver?»

Deux jours plus tard, il y eut une annulation. J'appelai Karen et lui fis part de mes préoccupations la concernant. Elle voulait absolument venir et me demanda de bien vouloir l'inscrire. J'acceptai. Voilà son histoire:

«À trente-sept ans, je pesais — d'après la balance marchande du terminal routier — cent quatre-vingt-treize kilos. Je ne pouvais plus trouver de vêtements à ma taille, même dans les magasins spécialisés. Ma garde-robe se réduisait donc à trois caftans que je m'étais faits sur mesure, tous droits, avec de simples fentes pour les bras et la tête. Je portais en permanence des babouches, hiver comme été, car j'aurais été incapable de me baisser pour fermer ou lacer des chaussures. J'avais aussi un manteau, mais ne le portais presque jamais car je sortais rarement de la maison. Chaque matin, je m'extirpais de mon lit et me traînais jusqu'à la cuisine pour me gaver, puis m'écroulais ensuite sur le divan, assurée d'avoir des montagnes de nourriture à portée de la main, et passais ma journée devant la télévision à me gaver de séries télévisées. Je vivais ma vie par procuration, à travers mes enfants et mon mari. Ils devinrent mes bras et mes jambes et c'est par leurs yeux que je voyais le monde extérieur. Je ne sortais qu'en voiture. Celle-ci devint mon armure, ma

protection. Je faisais le tour de la ville, ne m'arrêtant que
pour acheter à manger pour me gaver jusqu'à ce que plus
rien n'ait d'importance: ni ma peur, ni ma culpabilité, ni
ma souffrance.

Chip, mon fils de quinze ans, jouait au baseball. Pendant
huit ans, chaque saison, j'allai le voir jouer. Je ne
manquais pas un de ses matchs, mais je les regardais
toujours de ma voiture, à l'abri des regards indiscrets. Je
faisais attention, en me garant, d'être suffisamment près
pour bien voir et suffisamment loin pour ne pas être vue.
Je ne pouvais pas aller là-bas, sur les gradins. Je ne voulais pas que Chip soit humilié par le rejet dont je serais
l'objet. Je restais donc confortablement assise dans la
voiture en compagnie de mes pizzas, sodas et biscuits.

J'ai tout essayé pour me tirer de ce cauchemar. J'ai vu des
dizaines de médecins. ‹Un peu d'exercice, me recomman-
daient-ils tous, il suffit que vous repoussiez énergi-
quement la nourriture!› Je m'inscrivis dans un centre de
régime où l'on forçait celles qui avaient été ‹méchantes› —
celles qui avaient pris du poids — à porter des oreilles de
cochons, puis dans une autre organisation où l'on vous
applaudissait si vous aviez été ‹gentille›, mais un lourd
silence s'abattait sur celles qui n'avaient pas perdu de
poids pendant la semaine. Je ne retournai à aucun de ces
groupes. J'en essayai des dizaines d'autres, mais le
principe en était toujours le même: ‹Vous êtes faibles, sans
volonté, fainéantes... vous n'avez rien pour plaire... vous
n'êtes pas très intelligentes... on ne peut pas vous faire
confiance... alors les règles sont simples: Faites-nous
confiance! Nous savons ce qui est bon pour vous!
Obéissez-nous sans discuter et tout ira très bien!› Je faisais
chaque fois de mon mieux. En vain. Je finis par en être si
traumatisée et si épuisée que je ne voulus plus rien savoir
de tout cela.

Et puis, un matin, il y eut à la télévision une émission sur
les problèmes de poids. Il y avait trois invitées, dont une
m'intrigua. Au plus profond de mon désespoir, j'aperçus
une lueur d'espoir. Geneen utilisait un langage que mon
cœur comprenait. J'étais bouleversée que quelqu'un

puisse comprendre ce que je ressentais... et sache en parler avec éloquence et compassion dans une émission pour grand public!

Dès la fin de l'émission, je téléphonai à mon libraire pour lui commander une copie de son livre. À peine commençais-je de le lire que je me mis à pleurer. Plus j'avançais, plus je pleurais. J'appelai Geneen à son bureau. Deux semaines plus tard, je prenais le car pour me rendre à San Francisco.

Une des idées qui me bouleversèrent le plus lors de ses ateliers était qu'il n'y avait dans sa méthode ni de mal ni de bien, ni de mauvais ni de gentil. J'avais toujours considéré mes problèmes de nourriture de façon parfaitement linéaire, alors qu'ils formaient plutôt une spirale. C'était comme sauter d'un avion pour s'apercevoir que l'on n'a pas de parachute, et surtout qu'il n'y a pas non plus de sol en dessous de soi! Je compris alors que la vie était une chute sans fin... mais je voulais maintenant vivre cette expérience unique de toutes mes forces! Je décidai donc de remplacer autant que possible mon jugement défectueux par une simple prise de conscience de la réalité qui m'entourait. Au lieu de perpétuellement me condamner: ‹Tu as encore échoué, espèce d'abrutie, tu n'y arriveras jamais›, je m'encourageais: ‹OK, tu manges alors que tu n'as pas faim, mais cherche pourquoi!›

Auparavant, lorsque quelque chose me faisait mal, je me repliais sur moi-même, abandonnant mon corps à une peur destructrice. Après l'atelier, je me promis de ne plus jamais m'abandonner ainsi. Je resterai désormais dans mon corps et subirai avec lui la peur ou la souffrance qui l'assailleront.

Trois ans plus tard, je continue de me battre pour ma liberté. Ce combat m'a menée dans les coins les plus reculés de moi-même et j'y ai gagné une conscience du moment dont je n'avais jamais osé rêver.

J'ai perdu cent vingt-cinq kilos. Au printemps dernier, je me suis acheté mon premier jean, mon premier bermuda et mes premiers t-shirts. J'ai trouvé un travail qui me plaît et je m'y suis même fait des amies. J'ose désormais descendre de ma voiture et fais de longues promenades le long de la rivière. Je suis la marraine de l'équipe de baseball de Chip et secrétaire de l'association sportive. J'adore les vêtements de couleurs vives et flamboyantes et suis devenue une abonnée des montagnes russes. J'ai aussi des moments durs. Des sentiments, des émotions refoulés ont refait surface et je dois les affronter. J'ai commencé une analyse. J'avance lentement, mais je me rends peu à peu compte que si j'arrive à prendre l'offensive contre ma souffrance — à la saisir et à l'amadouer — plutôt que de me raidir dans un attitude de défense, celle-ci cède et perd sa force. Je n'ai plus alors besoin de manger pour la supporter.»

J'ai passé une journée avec Karen. Je voulais en savoir plus. Je voulais savoir comment, après avoir passé trente-sept ans à essayer en vain de maigrir et avec le désespoir qui peut en résulter, elle avait eu le courage de venir de si loin à un atelier de deux jours pour ensuite mettre en pratique, pendant trois ans, seule et sans relâche, ce qu'elle y avait appris. Je voulais savoir aussi comment, à près de deux cents kilos, elle avait fait pour ne pas complètement prendre panique, quand, au début, mangeant ce qu'elle voulait, elle avait pris du poids plutôt que d'en perdre:

«Je me réveillais tous les matins avec une douleur dans la poitrine. Je ne pouvais pas marcher plus de cent mètres sans perdre mon souffle et m'arrêter. Je ne voulais pas vraiment me suicider, mais je me laissais tuer lentement par la nourriture. Lorsque je vous ai vue à la télévision, je me suis finalement rendu compte que je m'étais exilée de moi-même, mais je venais de découvrir quelqu'un qui me disait — dans mon langage — que je pouvais rentrer chez moi. Je me mis, en lisant votre livre, à pleurer pour la première fois depuis vingt ans. J'étais en train de mourir, Geneen. Je n'avais plus d'autre choix.»

Mon amie Maria, qui travaille aussi avec des boulimiques et leur apprend à s'autoriser à manger et à s'interdire les régimes, pense que Karen devait avoir au fond d'elle-même un noyau de force intérieure qui lui a permis de tenir trois ans et demi sur ce qu'elle avait appris en à peine un week-end. Elle pense qu'il y a certainement quelqu'un qui, dans sa petite enfance, a fait preuve d'affection envers elle: une *baby-sitter* peut-être, qui sait? Quelqu'un lui a appris qu'elle était digne d'être aimée, quelqu'un lui a donné la force et la volonté de se prendre en main. J'en parlai à Karen, mais elle ne se souvenait pas d'une telle personne dans sa vie. Le fait était qu'elle n'avait pas le choix. C'était cela ou la mort.

Le premier pas pour une boulimique est d'accepter le désespoir de la situation et de comprendre ainsi que le choix qu'elle fait quotidiennement est celui de la mort, mais qu'elle peut choisir de se battre pour la vie — sa vie.

Nous devenons boulimiques parce que nous avons quelque chose à nous dissimuler, quelque chose que nous croyons pire encore que d'être grosses ou boulimiques. Se libérer de la boulimie, c'est donc pouvoir écarter le paravent de la nourriture pour découvrir ce qui se cache derrière. Tant que nous croirons que la boulimie a un sens en soi, tant que nous la considérerons comme une obsession acceptable que l'on doit combattre par la volonté, des boissons protéinées ou un coup de bistouri du chirurgien, tant que nous ne comprendrons pas que l'obsession est le plâtre, et non la fracture, tant que nous ne nous rendrons pas compte que nous sommes en train de mourir à petit feu, nous n'aurons pas établi les bases qui sont indispensables à notre combat pour la vie.

Les alcooliques et les personnes qui prennent des drogues dures voient leur vie détruite par l'alcool ou la drogue et finissent par mourir de leur intoxication. Elles se tuent dans un accident de voiture ou d'une surdose. Mais les boulimiques, parce que leur vie reste en apparence la même, ignorent souvent que leur attitude est suicidaire. Elles vont normalement chercher leurs enfants à l'école après s'être goinfrées toute la journée. Elles vont régulièrement au travail après avoir vomi trois fois depuis leur réveil. Elles savent être attentives à leurs amies, à leur mari, à ceux qui ont besoin d'elles. Rien dans leur apparence ne les trahit. Elles ne tremblent ni ne bredouillent. On peut compter sur elles car elles sont raison-nables et réceptives. L'autodestruction des alcooliques est violente, mais — lorsqu'elles touchent le fond — elles ont une chance, si elles savent la reconnaître, de s'en sortir. Les boulimiques, quant à elles, se détruisent à petit feu et personne ne le voit, car elles ne veulent surtout pas déranger.

J'ai parlé hier au téléphone avec une femme du nom de Rachel. Elle suit depuis deux ans les règles du code de conduite alimentaire suivant: «Ne mangez que lorsque vous avez faim et arrêtez-vous dès que vous êtes rassasié.» Bien que Rachel soit heureuse de ne plus grossir, elle désire perdre du poids. Je lui demandai alors si elle suivait vraiment ce code de conduite.

«En fait... non, répondit-elle.

— Et pourquoi?

— J'ai peur de ce qui pourrait m'arriver si je perdais du poids. Qui sait si ma vie affective ou professionnelle n'en serait pas affectée? J'ai suivi tant de régimes différents. Chaque fois, dès que le régime devenait trop dur, je le laissais tomber en me disant qu'il ne marchait pas et j'en cherchais alors un nouveau.»

Une alcoolique qui a un accident de voiture et se fait arrêter en état d'ébriété n'a pas le luxe de faire le tour des programmes de désintoxication. L'alcoolisme réduit sa vie à une longue suite de condamnations et de relations avortées qui laissent derrière elles comme une traînée de sang. De son sang. Elle n'a plus alors qu'une alternative: réagir ou mourir.

De telles menaces — qui pourraient les forcer à réagir — ne pèsent pas sur les boulimiques. Elles n'ont pas à choisir entre la vie et la mort, mais entre une glace et une boisson protéinée... du moins, en apparence.

Et si les conséquences de cinq ou quinze kilos de trop ne sont pas aussi dramatiques que celles de conduire en état d'ébriété, il n'en est pas moins vrai que la boulimique, chaque fois qu'elle s'empiffre, fait un pas de plus vers la mort. Le moment du choix se présente à nous toutes, que nous soyons alcooliques, droguées, fumeuses ou boulimiques. Quel est alors mon choix: la vie et ce qui m'enrichit ou la mort et ce qui me détruit? Et si je choisis la vie, que dois-je faire pour me guérir? Quelle est la cause cachée de mon comportement? Qu'ai-je essayé d'oublier de moi? Quels sont ces cauchemars, ces images, ces paroles que je n'ose pas affronter?

Le père de Karen eut une dépression lorsqu'elle avait douze ans et sa mère le fit enfermer dans une institution psychiatrique. Un jour, elle rentra de l'école et il avait disparu. Pas de lettres, pas de coups de téléphone. Karen ne le revit jamais. Elle commença alors à devenir boulimique.

«Quand je me sentais seule, la nourriture me tenait compagnie. Lorsque j'étais en colère, seule la nourriture me calmait. Ma mère travaillait de quatre heures à minuit et n'était jamais là quand je rentrais de l'école. Je n'avais le droit qu'à un coup de téléphone pour me dire ce qu'elle m'avait laissé à manger. Aucune souffrance ne résistait à la nourriture. J'ai vécu les vingt-cinq années qui ont suivi comme en pilotage automatique. Je suis allée à l'université, je me suis mariée, j'ai eu des enfants, mais je ne peux pas dire que j'ai vécu vraiment.»

Karen épousa un homme de vingt-cinq ans plus vieux qu'elle: «J'ai épousé mon père.» C'est vrai. Elle était toujours cette petite fille de douze ans à qui son père manquait, cette petite fille de douze ans dont les sentiments étaient trop forts pour le monde qui l'entourait. Jamais sa mère ni personne dans sa famille ne lui avait demandé comment elle ressentait l'absence de son père. Personne n'avait compris qu'elle puisse se sentir seule et triste. Elle a donc fini par enterrer ses sentiments sous près de deux cents kilos de chair.

Lorsque nous nous sommes rencontrées à l'aéroport, Karen portait un chandail en cachemire et un jean avec une large ceinture rouge. Elle avait une queue de cheval. On aurait dit qu'elle avait quinze ans et je le lui ai dit.

«Mais j'ai quinze ans, répondit-elle. En perdant du poids, je suis revenue à mes douze ans, l'âge où j'ai commencé à manger pour me cacher derrière les kilos. Mais j'ai grandi! J'aurai bientôt seize ans: l'âge des premiers rendez-vous!»

Karen est extrêmement réceptive: aux sons, aux odeurs, aux couleurs. Elle rit beaucoup, d'un rire clair et léger. J'en viens à envier la façon dont elle découvre le monde avec ses yeux neufs. Elle oscille sans arrêt d'une joie insouciante et sans limites à un sérieux réfléchi — mais sans tristesse — lorsqu'elle se met à parler des découvertes qu'elle a faites au fur et à mesure qu'elle avançait sur son chemin. À un moment de notre conversation, elle me coupa pour me demander: «Geneen, mets tes mains ici. Il faut que tu te rendes compte.» Elle prit ma main et la posa sur sa hanche. «On sent les os de mon bassin! Pour la première fois, je sens les os de mon bassin! Te rends-tu compte?»

Plus tard, elle me raconta son mariage:

«J'avais vingt-quatre ans et je n'étais jamais sortie avec un garçon. J'enseignais dans une école. Un jour, je surpris un élève à lire le *Globe* pendant un examen. Je lui confisquai le journal et me mis à le lire. Il y avait des petites annonces, des gens qui cherchaient un rendez-vous ou plein d'autres choses plus ou moins bizarres. Une amie me mit au défi d'y placer une annonce. Je le relevai. Je reçus quarante réponses. L'une d'entre elles semblait venir d'un gentil garçon. Nous avons correspondu pendant six mois, puis nous avons commencé à nous téléphoner. Un jour, il m'a demandé de l'épouser.

— Sans vous avoir rencontrée? demandai-je.

— Sans m'avoir rencontrée, répondit-elle, et j'acceptai, sans l'avoir rencontré non plus. Je lui avouai que je pesais plus de cent soixante-dix kilos, mais cela ne semblait pas le gêner. Il arriva le vendredi soir, nous fîmes les examens prénuptiaux le lundi, et le mardi nous étions mariés. Le mercredi, je partis vivre avec lui chez sa mère.

J'eus un sursaut, horrifiée à l'idée d'épouser quelqu'un que je ne connaîtrais pas, puis d'aller vivre chez sa mère! Karen riait:

— Incroyable, non? Je cherchais un moyen de briser cette terrible solitude qui desséchait ma vie et Dan me l'offrait. Le problème est, bien sûr, que nous ne nous aimions pas et que nous ne nous aimons pas plus aujourd'hui. Tout va bien tant que je ne lui demande rien. Lorsque vous pesez près de deux cents kilos, vous êtes déjà heureuse que votre mari ne boive pas et ne vous batte pas. Maintenant, ce n'est plus suffisant. Nous n'avons pas fait l'amour depuis dix ans. Je veux rencontrer l'amour de ma vie, même si je dois d'abord vivre seule. Je souffre trop.

— Perdre du poids n'a pas fait disparaître la souffrance. Une nouvelle souffrance a simplement remplacé l'ancienne, n'est-ce pas?

Karen acquiesce:

— Lorsque je pesais près de deux cents kilos, je mourais d'une forme de paralysie. Je suis maintenant débordante d'énergie. C'est la différence entre vivre ses émotions et vouloir les enterrer sous les kilos.

— As-tu peur de rechuter?

— Tu plaisantes! Mon médecin m'a dit il y a quelques mois que j'étais maniaco-dépressive. Il m'a dit que j'étais hypersensible et que j'oscillais trop facilement entre la joie et la tristesse. Il a voulu me prescrire des médicaments. Je rentrai chez moi et réfléchis. Cela me mit dans une colère terrible. Je suis retournée le voir et lui ai dit: ‹Écoutez, j'ai passé trente-sept années de ma vie à vouloir enterrer mes émotions sous les kilos, et maintenant que je ne le fais plus, il est tout à fait normal qu'elles ressurgissent! J'en suis très heureuse! Si vous ne pouvez pas les affronter, je trouverai un autre médecin!›

Nous nous faisons face, chacune dans un grand fauteuil blanc. Karen continue:

— Ce n'est pas seulement un mariage raté, c'est avant tout une enfance malheureuse. Ma mère était méchante et tyrannique. Elle passait ses dimanches après-midi à ôter les peluches des rideaux. Je la détestais pour avoir fait enfermer mon père, mais j'ai appris récemment que, en fait, c'est lui qui m'avait abandonnée. Il est sorti de l'asile au bout de six mois et n'a jamais essayé de me revoir. Il ne m'a pas même donné un coup de téléphone. Je dois maintenant apprendre à accepter la tristesse et la colère de toutes ces années.»

La boulimie n'était qu'un plâtre, pas la fracture. Perdre des kilos a amené Karen à découvrir la fracture qu'elle dissimulait.

Et ce n'est pas la fracture qui donne sa forme à notre vie, c'est la décision que nous prenons — une fois adultes — de la soigner plutôt que de rager contre elle.

La boulimique doit apprendre à s'aimer tendrement et totalement, y compris ses kilos en trop. Ce peut être le travail d'une vie...

Au cours de l'atelier, Karen nous confia:

«C'est la première fois de ma vie que quelqu'un me dit que je ne suis pas mauvaise, que je ne suis pas une moins que rien et que j'ai le droit d'être aimée et choyée! J'ai grandi avec la croyance en un Dieu coléreux, un Dieu qui vous punit sans cesse, un Dieu qui n'est jamais satisfait et ne supporte que la perfection. Je suis passée d'une mère en colère à un Dieu en colère, pour finir par être en colère contre moi-même. Les régimes n'étaient qu'une manifestation de ce Dieu en colère pour qui je n'étais jamais assez parfaite. Je me rebellais tout le temps et en éprouvais un horrible sentiment de culpabilité. Au cours de l'atelier, j'ai compris finalement que je n'étais pas mauvaise et que c'était avec un cœur ouvert, et non en me punissant, que je trouverais la solution à mes problèmes de nourriture. Cette révélation fut comme un coup de poing dans ma poitrine. Mon cœur, pour la première fois de ma vie, s'est ouvert.»

La différence entre Karen et des centaines d'autres personnes qui se battent contre la boulimie — ou tout autre comportement obsessionnel — est que Karen commença à se reposer au fond d'elle-même le jour où elle décida de manger plutôt que de se punir. Elle utilisa alors la boulimie comme un moyen de retrouver ses émotions et non comme un châtiment. Elle avait été une étrangère à sa propre vie, se jugeant sans la moindre pitié. Elle donnait maintenant la parole à son cœur. C'est là toute la différence qu'il y a entre maltraiter une enfant qui souffre et la bercer pour la réconforter.

La plupart des gens se maltraitent parce qu'ils ont été maltraités. Ils ne connaissent rien d'autre. Ils croient que s'occuper de soi et être attentif à ses souffrances est de la faiblesse et ne peut mener à rien qui en vaille la peine.

La plupart des femmes se détestent pour leur boulimie. Elles ne la supportent pas. Elles ne se supportent pas. Elles sont fatiguées de passer toutes leurs journées à penser à la nourriture. Elles veulent en finir une bonne fois pour toutes, mais leur impatience ne fait que renforcer leur souffrance. La haine de soi n'a jamais guéri personne.

Karen me montre les plis de peau qui pendent sous son menton et ses bras:

«Mon analyste m'a donné l'adresse d'un chirurgien esthétique. Il veut que je me fasse enlever de la peau sur le ventre, de l'estomac au pubis, d'un flanc à l'autre. Il faudrait me refaire un nouveau nombril, puis je devrais ensuite me faire réduire la poitrine... puis la peau des bras... puis les mollets. Je ne sais trop qu'en penser. Ces plis font partie de moi. Ils sont les cicatrices de mon combat victorieux. J'y tiens. Je ne veux pas qu'on me les enlève tout de suite. Je les aime autant que mes os, forts et solides, que je viens de redécouvrir.»

J'ai reçu cette lettre de Karen la semaine dernière:

«Il y a quelques semaines, quelqu'un que j'aime beaucoup a passé sa main dans mes cheveux et m'a posé un baiser sur le front. Cela fut pour moi à la fois doux et amer. Cela me remplit de bonheur, mais, en même temps, est remontée à la surface l'absence d'amour dont j'ai souffert toutes ces années. Bien que je sois sortie du cercle infernal de la boulimie, je me retrouve souvent à errer dans un magasin d'alimentation. L'autre jour, après le travail, j'ai passé près d'une heure à parcourir les allées en tous sens. Je me suis arrêtée au rayon boulangerie et ai pris un croissant avec tendresse, reniflant l'odeur douce de la pâte fraîche. Des larmes m'en sont venues aux yeux. Je l'ai replacé avec délicatesse sur l'étagère, puis suis allée au rayon du riz: ‹Savoureux riz aux légumes et au fromage›... J'ai secoué la boîte, qui m'a répondu par un bruissement léger. Une fois encore, j'eus envie de pleurer.

Puis je me suis mise à serrer contre mon cœur — et presque à embrasser — un énorme pot de crème fraîche. Il était froid et couvert de givre. Je compris alors que rien dans ce magasin ne pourrait me satisfaire. J'avais faim de quelque chose que je ne pouvais pas acheter ici, ni nulle part ailleurs. Je suis donc sortie du magasin les mains vides, intacte.

Trevor a quatorze ans. Je l'ai rencontré lorsqu'il est venu s'inscrire au club de baseball, le mois dernier. Il était là, devant moi, un grand gars musclé, tripotant nerveusement entre ses mains une vieille casquette. Il marmonna quelque chose comme: ‹Je... je... je voudrais juste jouer au baseball...› Il me raconta alors que, lorsqu'il était petit, une balle l'avait frappé en plein visage et qu'il n'avait plus pu jouer depuis. Mais maintenant, à l'âge où la plupart des garçons arrêtent de jouer, Trevor voulait recommencer.

Je me sens comme lui, devant affronter à quatorze ans la première saison que tous les autres garçons ont vécue à six ans, tripotant nerveusement une vieille casquette et criant: ‹Hé! j'ai tellement envie de jouer que je risque d'en devenir fou si jamais vous me le refusez! Alors je peux, dites?› Pauvre Trevor, il est probable que les postes ont déjà été attribués et qu'il n'y a pas de place pour quelqu'un qui veut commencer — si tard — à jouer...

Je suis VIVANTE et, pour moi, la vie n'est qu'une suite d'émerveillements. Ainsi, lorsque je marche dans les bois, je me sens chaque fois saisie d'un incroyable sentiment de respect. Au printemps, alors que je me promenais sous la pluie, je me suis presque laissée ensorceler par un double arc-en-ciel. Le mois dernier, de retour d'une dure randonnée, alors que je redescendais dans la vallée, une vieille dame d'origine anglaise m'aborda et me dit qu'elle désirait me montrer quelque chose. Je la suivis et découvris dans sa serre des centaines d'orchidées. Leurs parfums mêlés étaient si puissants que j'en fus presque intoxiquée. Les couleurs éclataient: des rouges écarlates, des blancs crémeux, les mauves flamboyants des orchidées du Guatemala et du Costa Rica! La semaine dernière, au travail, j'ai aperçu par la fenêtre un vieux chêne nu couvert de gouttes de pluie. Je savais que ce n'étaient que des gouttes de pluie, mais pour moi elles avaient l'éclat du diamant.

J'aimerais pouvoir dire que porter du douze est le bonheur absolu, mais je dois avouer qu'être soi-même et accepter la vie ne sont pas toujours faciles. On ne peut pas avoir que les bons côtés. Si on découvre l'émerveillement, l'excitation, le rire, il faut aussi accepter les larmes, les déceptions et la tristesse. On n'est vraiment soi-même qu'en acceptant de vivre TOUTES ses émotions.

Et voilà... cent vingt-cinq kilos plus tard, ma vie est un mélange de bonheur et de souffrance. Je souffre pas mal ces derniers temps... mais c'est la vie! Je la vis à bras le corps et non par procuration à travers des séries télévisées comme je le faisais auparavant. Je ne sais pas ce que le futur me réserve, mais ce dont je suis sûre c'est que j'irai jusqu'au bout.»

Oui à l'évolution sans limites. Oui à l'émerveillement et oui à la tristesse.

Oui à TOUT.

9

Se nourrir d'amour véritable

Un dimanche matin il y a de cela dix ans, à Santa Barbara, je discutais avec mon amie Jil que je n'avais pas vue depuis trois ans. Devant nous, la table était resplendissante: une profusion de bagels, de saumon fumé, de fromage à la crème aux échalotes ainsi qu'un pichet de porcelaine rempli de jus d'oranges fraîchement pressées, sans oublier une théière en argent remplie d'Earl Grey fumant. Nous discutions la manière d'obtenir ce que nous désirions d'une relation amoureuse. Jil me conseilla de dresser une liste exhaustive des qualités que je recherchais chez un homme car, selon elle, si je ne savais pas ce que je cherchais, je ne risquais pas de le trouver. Elle tartina un bagel de fromage à la crème et dit:

«Ils auraient pu être plus généreux avec les échalotes. Mais... tu as l'air songeuse. À quoi penses-tu?

— À Sheldon, répondis-je. Je n'avais pas pensé à lui depuis longtemps. À mon père aussi, qui n'a pas pu venir à ses funérailles parce qu'il avait trop de travail. ‹Ce sont des choses qui arrivent›, m'a-t-il seulement dit. La mort de Sheldon m'avait beaucoup touchée mais quand mon père m'a dit qu'il était trop occupé pour venir, je me suis sentie gênée pour lui et ai cherché à l'excuser.

— Quand on n'a jamais rien reçu, on accepte n'importe quoi, commenta Jil.

Mon amant, à l'époque de la visite de Jil, s'appelait Nick. Ce cher Nick était intellectuel, tendre, généreux et marié. Sa femme me connaissait, comme elle avait connu les précédentes maîtresses de Nick. Elle ne disait rien. Elle n'aimait pas faire l'amour et c'était pour elle le moyen d'y échapper. Lorsque je rencontrai Jil, je venais une fois de plus de me disputer avec Nick au moment où il me quittait pour aller chercher sa fille à l'école. Je ne supportais plus que nos rendez-vous soient toujours coincés entre sa sortie du bureau et les cours de danse de sa fille. À peine avait-il le temps de m'embrasser et de me dire qu'il me trouvait belle, que nous nous précipitions dans ma chambre pour faire l'amour. Il repartait presque aussitôt. Je hurlais de frustration:

«Je ne suis qu'une gâterie pour toi! ton morceau de chocolat! Tu viens chez moi pour les sucreries, mais pour ce qui est du plat de résistance, tu vas voir ta femme et ta fille! Je ne veux plus être un à-côté! Je veux être le plat de résistance!»

La semaine suivante, je demandai, dans le cadre de mes ateliers, à chacune des participantes d'apporter son plat préféré. Elles vinrent toutes sans exception avec du chocolat, sous une forme ou une autre. Gâteaux, glaces, confiseries, rien ne manquait. Chacune dut décrire ce qu'elle avait apporté, puis expliquer pourquoi c'était son plat préféré et ce qu'elle ressentait lorsqu'elle en mangeait. Elles finirent toutes par admettre que, même si elles craquaient pour le chocolat, ce n'était pour elles qu'un extra qui ne suffisait pas à les satisfaire. «Comment vous sentez-vous après en avoir mangé?» demandai-je. «Malade et frustrée plus qu'autre chose», répondit une femme.

Pour la plupart d'entre elles, le fait de manger du chocolat était assimilé au fait d'être avec leur père, à la façon dont leur père les traitait. Derrière les nuits passées à se gaver de chocolat, se cachait en réalité une envie folle de purée, de riz, de légumes et de pain entier. Les sucreries ne faisaient qu'entretenir leur frustration. Il leur manquait quelque chose de plus substantiel.

La boulimie n'apparaît pas sans raison. On retrouve toujours à son origine une relation affective douloureuse. Elle est souvent pour nous le dernier recours lorsque nous nous rendons compte que les personnes que nous aimons ne nous rendent pas notre amour.

Lorsque j'étais au lycée, je regardais les grandes filles minces qui avaient de l'acné et les cheveux comme de la filasse et me disais que si j'avais eu leur corps — ou elles ma peau et mes cheveux —, au moins l'une de nous aurait pu être belle. Je pensais en effet à l'époque que mon seul problème était d'être grosse. Je me disais ainsi que si, par miracle — miracle pour lequel je priais chaque soir —, j'avais pu un matin me réveiller grande et mince, ma vie aurait alors été à jamais resplendissante de beauté et de bonheur. Lorsque mes histoires d'amour finissaient mal, je réussissais toujours à mettre cela sur le compte de la malchance ou à me convaincre que j'étais trop grosse pour plaire aux hommes qui me plaisaient.

Ce n'est que deux ans avant de rencontrer Matt que je compris que c'étaient les mêmes raisons qui me poussaient à être boulimique et à m'impliquer dans des relations sans lendemain. Ma façon de manger comme ma façon d'aimer avaient une seule et unique source: le modèle de relation affective que m'avaient donné mes parents et l'image de moi que je m'étais bâtie d'après ce modèle.

Pendant dix-sept ans, je fus boulimique, et pendant vingt et un ans je m'impliquai dans des relations qui me laissaient, vis-à-vis de moi-même, le même sentiment que ma boulimie, c'est-à-dire malade et frustrée. Je n'imaginais même pas qu'on puisse être heureuse en mangeant ou en aimant. Me rendre malade en mangeant trop de chocolat et choisir des hommes pour qui je ne n'étais qu'une gâterie étaient pourtant deux aspects d'un seul et même problème.

Je n'avais pas appris que manger — c'est-à-dire fournir à son corps le carburant dont il a besoin pour penser clairement et se déplacer facilement — pouvait être une forme de gentillesse envers soi-même. J'avais toujours cru qu'il était mal d'éprouver du plaisir à manger des beignets au petit déjeuner. Je ne savais pas non plus que j'avais le droit de rechercher un homme gentil et attentionné. J'avais toujours cru que j'étais mauvaise et que, pour cette raison, je n'avais droit qu'à des hommes qui me poussaient à bout, me faisant sans cesse osciller entre passion et désespoir, des hommes avec lesquels il m'était impossible de me sentir en sécurité.

Je mangeais pour oublier mes sentiments, mes émotions. Je mangeais pour mieux me cacher. Je ne savais même pas que j'avais droit au bonheur. Et ne le sachant pas moi-même, comment aurais-je pu trouver des hommes qui le sachent?

Les bras et les jambes de Mike Goldman semblaient être trop longs pour lui, il ne savait jamais quoi en faire ni où les mettre, mais sa bouche était douce et sensuelle et il me plut immédiatement. Je le rencontrai lors des journées d'accueil à l'université et, trois semaines plus tard, j'étais prête à mourir pour lui. Mike était en dernière année. Il possédait déjà une voiture, un appartement et un sens de l'humour à toute épreuve. Il avait tout pour plaire. Il avait malheureusement un énorme et insurmontable défaut: Il m'aimait. Il était même courtois, galant, attentionné et prêt à tout pour me faire plaisir. C'était là plus que je ne pouvais supporter. Je me mis donc à lui chercher des défauts. Je remarquai alors qu'il avait des pellicules et une coupe de cheveux ridicule. Notre relation durait depuis sept mois quand il me demanda de l'épouser. Je lui dis que j'y réfléchirais, mais je connaissais déjà la réponse. Quelqu'un qui était assez stupide pour m'aimer, quelqu'un qui n'était même pas capable de me faire souffrir ou de me rendre folle, ne valait même pas la peine que je considère son offre. La réponse serait non.

Deux ans après notre rupture, une amie m'annonça que Mike allait se marier. Le mariage devait avoir lieu dans le Connecticut. J'étais alors à New York, en visite chez mes parents. J'appelai aussitôt la mère de Mike et me présentai comme Lillian Gillman, une ancienne camarade de classe. Je dis que j'étais en ville et avais appris que Mike allait se marier. Bien que je ne sois pas officiellement invitée, je lui demandai si je pouvais assister à la cérémonie afin d'être témoin de son bonheur et de lui adresser mes meilleurs vœux. Elle accepta avec joie et me donna l'adresse du temple.

J'avais mon plan. Je voulais reconquérir Mike. Il m'avait aimée, il m'aimerait à nouveau. J'allais me rendre à son mariage et, portant un large chapeau et des lunettes noires, j'irais m'asseoir au fond du temple jusqu'à ce que Mike arrive. Je marcherais alors vers lui et me dévoilerais. Il s'arrêterait pétrifié, fou de bonheur de me revoir. Je lui avouerais ma stupidité et mon immortel amour pour lui. Puis, comme Katharine Ross et Dustin Hoffman dans *Le Lauréat,* Mike et moi sortirions en courant du temple, hors d'haleine et éclatant du bonheur d'avoir sauvé notre amour avant qu'il ne soit trop tard.

Je m'habillais pour l'occasion lorsque Jace, ma colocataire, arriva à l'improviste.

«Où vas-tu ainsi? me demanda-t-elle. Et qu'est-ce que c'est que ce chapeau sur ta tête?

Je pensai tout d'abord lui mentir, mais elle était ma meilleure amie et je décidai donc de la mettre au courant:
— Mike se marie aujourd'hui et je vais à son mariage.
— Tu vas où?
— Je vais au mariage de Mike Goldman. Je viens de me rendre compte que je l'aime toujours. J'ai fait une terrible erreur et je dois la réparer. C'est ma dernière chance!
— Tu ne vas aller nulle part, Geneen! Même si je dois te retenir pieds et mains liés! Tu ne l'as jamais aimé. La seule raison qui te fait le désirer aujourd'hui est que tu ne peux plus l'avoir. Ôte ce chapeau et allons plutôt au cinéma!»

Jace avait tort. J'avais aimé Mike. Sa présence à mes côtés m'avait réconfortée et même touchée. Il me plaisait. Il était tendre, attentionné, plein de passion et de respect à la fois. Ce n'était pas lui, le problème, c'était moi. Je n'avais pas su reconnaître ses émotions, ses sentiments comme des signes de l'amour. Pour moi, l'amour était synonyme de peur, de panique et de désespoir. Pour moi, l'amour était ce serrement d'estomac que j'avais ressenti quand j'avais appris qu'il m'échappait. J'avais rencontré l'amour mais ne l'avais pas reconnu!

Lorsque je rencontrai Matt, je sus dès le premier instant que je voulais passer ma vie avec lui. Je vis Jace le lendemain et lui annonçai que j'étais follement amoureuse, que j'avais rencontré l'homme de ma vie.

«Je t'ai vue il y a à peine trois jours et tu ne m'en as rien dit. Depuis combien de temps le connais-tu?

— Vingt-quatre heures!»

Jace leva les yeux au ciel. Elle avait été témoin de toutes mes histoires d'amour depuis l'âge de dix-huit ans. Elle avait été la seule personne au courant de ma relation avec Nick, l'homme marié. Je lui avais tout raconté de cette histoire — et de ma souffrance — lors d'une fin de semaine chez elle. Je lui avais tout d'abord raconté que j'avais rencontré un homme qui me plaisait. Plus tard, au cours d'une promenade dans le parc, je lui avais avoué qu'il était marié. Le soir, en pliant mes pantalons dans la buanderie, je lui avais annoncé que j'avais couché avec lui. Et avant de nous coucher, j'avais fini par lui dire que je le voyais tous les jours. Elle m'avait alors demandé: «Je veux toute la vérité et je la veux maintenant! Je ne te juge pas, je veux seulement savoir ce qui se passe.»

À propos de Matt, elle me dit:

«Tu ne le connais que depuis vingt-quatre heures et tu es déjà folle de lui! C'est bon signe, ça, Geneen! C'est même très bon signe!

— Cette fois, c'est différent», répondis-je en souriant aux anges.

Et cette fois, c'était vrai.

Tous mes rêves romantiques à propos de l'élu de mon cœur et du mariage d'amour — sur un lac à minuit entouré de milliers de bougies — ressurgirent. Je porterais une robe immaculée brodée de perles fines. Je serais une nouvelle Cher en un peu plus petit et un peu plus large! Nous déclamerions nos vœux au son des violons.

Toutes mes années de militantisme contre le mariage, «procédure légale et administrative, bastion de la société patriarcale hétérosexuelle», disparurent en un instant dans le soleil couchant. Je voulais épouser Matt et je voulais que ce soit Matt qui demande ma main.

Je passai neuf mois à écrire et réécrire sans cesse dans ma tête la liste des invités. Tout le monde voulait savoir quand nous allions nous marier. Mon père: «Alors, c'est pour quand?» Ma mère: «Je m'étais promis de ne pas te le demander, mais quand vous mariez-vous?» Sans oublier la mère de Matt: «Je ne voudrais pas être une belle-mère abusive, mais il faut que je sache: À quand le grand jour?» Même mes amies me demandaient: «Est-ce que c'est sérieux?» ce qui voulait dire: «Quand vous mariez-vous?» Au cours d'une fin de semaine particulièrement romantique, et après avoir attendu aussi longtemps qu'il était humainement possible de le faire, je finis par me rappeler que j'étais une femme libérée et que je n'avais pas à attendre le bon vouloir d'un homme. Je décidai donc de prendre l'initiative et de demander à Matt s'il voulait m'épouser.

Il était assis en face de moi dans son vieux fauteuil de velours brun décoloré par le soleil.

«J'aimerais te poser une question, dis-je, le cœur battant, l'estomac serré.

— Oui?

— Veux-tu m'épouser?

«Imbécile! me dis-je aussitôt, tu aurais au moins pu accompagner ta question d'un baiser!»

— On s'aime, n'est ce pas?

Était-ce une question piège?

— Oui... répondis-je timidement, m'attendant au pire.

— J'aimerais vraiment me marier avec toi...

Sa voix me traversa de part en part comme une épée. Je transpirais. Je vacillais. J'étais à l'agonie.

— ... mais je ne suis pas encore prêt pour me remarier.

Mon amour se transforma aussitôt en peur, la peur en colère, la colère en humiliation. Je lui avais demandé de m'épouser et il refusait. J'avais attendu toute ma vie de trouver l'homme idéal et voilà que ce mufle refusait. Je voulais me lever et partir en claquant la porte. Je voulais ne plus jamais le revoir. «De toute façon, il a des yeux en boules de loto, les cheveux gras et un cou de héron!»

— Je ne suis pas encore vraiment prêt à prendre un tel engagement. La mort de Lou Ann est encore trop proche.

Matt me regarda et remarqua qu'une fois de plus j'étais en train de me replier au fond de moi-même. Il parla alors très vite:

— Cela n'a rien à voir avec toi, Geneen! Vraiment! Je t'aime! Je ne voudrais vivre avec personne d'autre au monde. Nous nous entendons si bien. C'est juste que, au fond de moi, je sens que c'est encore trop tôt. Je ne peux pas. Ce ne serait pas honnête. Ni envers toi, ni envers moi. Si je prends un tel engagement, je veux pouvoir le faire haut et fort. Je veux que tout le monde soit là et que pas une ombre ne vienne gâcher le moment le plus important de ma vie. Je veux t'épouser, mais j'ai besoin d'encore un peu de temps.

«Va au diable avec ta Lou Ann et ton amour!» Comme ce n'aurait pas été faire preuve de beaucoup de politesse ou de compréhension que de dire cela, je préférai rester muette, mais j'étais furieuse. Furieuse et humiliée. Je m'étais mise à découvert, à sa merci. Je lui avais demandé de m'épouser — et, nom de Dieu! il m'avait repoussée!

— Dis quelque chose, Geneen.

Je n'avais plus rien à dire. Il y a cinq minutes à peine, je l'aimais tant que je lui demandais de m'épouser. Et maintenant, j'avais du mal à rester assise dans la même pièce que ce salaud.

— Geneen? Arrête ce jeu, veux-tu? Je sais que tu te sens blessée, mais dis quelque chose! Tu crois donc que je ne t'aime plus? Tu crois que je ne voudrai jamais t'épouser?

Je fis oui de la tête, comptai mentalement jusqu'à trois et me forçai à articuler:

— Cela fait neuf mois que nous sommes ensemble, neuf mois que tu me dis à chaque instant que tu veux passer ta vie avec moi, que tu es fou de moi. Mais maintenant que je te demande si tu veux m'épouser, de dire à tous et à toutes que c'est moi que tu aimes, tu me réponds que tu n'es pas prêt. Je me sens comme une femme à qui son mari avouerait qu'il a une maîtresse! J'ai cru tout ce temps que tu étais avec moi et tu m'avoues maintenant qu'une partie de toi n'est pas vraiment là et que je devrai encore attendre avant que tu sois entièrement à moi!

Il se défendait. Je lui répondais. Et ainsi de suite...

Au bout de quelques heures et de beaucoup de pleurs, après une promenade en forêt et une grosse omelette aux champignons, Matt réussit à me parler:

— Je t'aime vraiment. Je voudrais toujours être avec toi. Mais il est vrai que, pour l'instant, une partie de moi est encore absente. Je pense qu'il me faudra mettre trois ans entre nous et la mort de Lou Ann avant que nous puissions commencer à parler mariage.

— Je t'aime aussi, mais je te déteste pour m'avoir repoussée. La prochaine fois, c'est toi qui me demandera en mariage.»

Ces trois années écoulées, je commençais à retenir mon souffle dès que le regard de Matt semblait se troubler — comme s'il allait dire quelque chose de capital. J'attendais, tirant le Yi King, chassant les étoiles filantes de mes vœux. Je l'aimais, je l'adorais. Et pourtant, au fond de moi, j'avais peur qu'il me demande en mariage.

Il était pour moi agréable de rêver au mariage tant que Matt ne risquait pas de me le demander. J'avais tellement pris l'habitude de rêver à ce que je ne pouvais obtenir. C'était d'une certaine manière rassurant d'avoir le rôle de celle qui se bat pour réduire la distance, celle à qui il incombe de créer l'intimité. Je savais me comporter dans ce genre de situation. Je pouvais avoir l'air d'une enfant vulnérable, je pouvais avoir l'air d'une femme mûre... mais je ne pouvais, en fait, être ni l'une ni l'autre. Je n'avais jamais su avant de rencontrer Matt.

Le plus dur ne fut pas de séduire Matt, mais ensuite de pouvoir rester avec lui. Le plus dur était toujours — pour moi — de rester. Où que ce soit. Six mois après notre première rencontre, je notai dans mon journal:

«Je suis toujours sur le point de m'en aller, car ainsi je ne peux pas être abandonnée. Je ne serai jamais celle qui reste, la bonne poire, celle qui se fait avoir. Je ne serai jamais celle qui attend à dîner un homme qui ne viendra pas. Je ne veux plus être humiliée. En restant tranquillement à attendre, je suis la victime idéale. Si, par contre, je reste toujours en mouvement, je deviens intouchable, invulnérable.»

Lorsque j'étais adolescente, mon amie Sharon me parla un jour d'un de ses ex-petits amis du nom de Larry Klein. Ils étaient sortis ensemble pendant deux mois, mais elle avait finalement rompu parce qu'elle le trouvait méchant et tyrannique et qu'il avait le nez crochu. Lorsque je fus plus tard transférée dans une autre école, j'y rencontrai Larry. Sharon lui avait brisé le cœur, mais cela allait mieux et il sortait maintenant avec une fille du nom de Laura Boxer. Je tombai amoureuse de Larry. Lorsqu'il attrapa la mononucléose, j'allai tous les jours lui rendre visite. Je grimpais sur son lit pour l'embrasser et me laissais même peloter. Lorsqu'il fut finalement guéri, il avait rompu avec Laura Boxer, m'avait offert sa gourmette et me demandait chaque fin de semaine de l'accompagner à la fête foraine. Je restai avec lui trois mois, puis je rompus. Je le trouvais méchant et tyrannique, et il avait le nez crochu!

Je tombais toujours amoureuse d'hommes qui ne voulaient pas de moi ou avec lesquels toute relation sérieuse était impossible, au point de croire que c'était la frustration et non l'amour que je recherchais. Tant que je vivais avec des salauds, je pouvais vivre l'amour tel que je l'imaginais: colère, inquiétude, attente, tout en sachant que ces relations n'avaient aucun avenir et que la situation serait toujours la même. Et si, par hasard, un homme changeait, je pouvais toujours compter sur ma boulimie qui, m'empêchant d'être moi-même, me protégeait de toute intimité.

Un amour impossible était pour moi rassurant. Durant mes deux années avec Ralph, un instructeur en méditation toujours en voyage aux quatre coins du pays, je restai des heures dans mon appartement bleu-vert à écouter le thème musical de *Tootsie* et à chantonner en rêvant au visage de Ralph et à notre amour imaginaire.

Ce que j'aimais par-dessus tout, c'était rêver l'amour plutôt que de le vivre. Je n'avais ainsi pas à prendre le risque d'être vulnérable. Rien de sérieux avant d'être mince. Rien ne comptait vraiment pour moi car je savais que, quand je serais

mince, ma vie changerait du tout au tout. J'attendais que mon corps soit prêt pour m'y installer vraiment et y vivre enfin la vraie vie.

Avec Matt, je pris une fois de plus toutes mes précautions. Je m'attachai à un homme qui était lui-même encore attaché à une autre femme: Lou Ann, même morte, était suffisante pour rendre notre histoire impossible. Du moins le croyais-je. Il me fallait quelque chose qui me tienne éloignée et me protège de lui. Quelque chose contre quoi je pouvais me battre et épancher ma colère. Mais j'avais ainsi également un but, dont je pouvais rêver et pour lequel je pouvais me battre. Lorsque l'attachement de Matt pour Lou Ann s'estompa, rien ne nous sépara plus que ce que j'y mettais délibérément. L'intimité n'était plus un rêve... Elle était devenue réalité et j'étais terrifiée!

Une femme vint me voir après avoir perdu — et repris — trente kilos. Elle était furieuse. Être mince ne s'était pas révélé le miracle qu'elle espérait. Privée du rêve de minceur qui faisait son bonheur lorsqu'elle était grosse, elle n'avait plus rien pour l'empêcher d'être vraiment elle-même et elle n'aimait pas cela du tout.

Nous ne pouvons pas rester minces si nous ne sommes pas prêtes à abandonner nos illusions, et à nous accepter telles que nous sommes. Et nous ne pouvons vivre une véritable histoire d'amour — une relation saine et enrichissante — si nous n'arrêtons pas de rejeter la faute sur l'autre plutôt que d'être honnêtes avec nous-mêmes. Se libérer de la boulimie et pouvoir s'impliquer dans une relation réclament une seule et même condition préliminaire: arrêter de se défendre contre la souffrance.

Vivre sincèrement une histoire d'amour peut être parfois douloureux, mais c'est une souffrance réelle. Ce n'est pas la souffrance artificielle de vouloir quelqu'un qui ne veut pas de nous, ni de vouloir changer quelqu'un et le forcer à voir la vérité ou à nous voir. Se libérer de la boulimie, aussi, est douloureux. Mais la véritable souffrance n'est pas d'avoir à monter sur la balance pour nous apercevoir que nous avons pris deux kilos, ou d'avoir mangé quelque chose que nous n'aurions pas

dû manger, ou bien encore de vouloir être minces si nous sommes plutôt rondes. La véritable souffrance est celle que nous ressentons lorsque nous essayons de nous débarrasser de ce qui nous empêche d'être vraiment nous-mêmes, c'est la souffrance irritante d'avoir à grandir, c'est la souffrance sombre et malsaine de s'apercevoir — à quarante ans — qu'on a toujours peur de dire la vérité à son père. C'est cela la véritable souffrance: une bête au poil hérissé et aux griffes aiguisées qui se cache au fond de nous. C'est la souffrance de nous défaire du fardeau dont nous nous étions chargées et qui n'était pas le nôtre, afin de pouvoir enfin nous plonger dans les eaux étincelantes de notre propre vie.

La souffrance de la boulimie n'est pas la vraie souffrance, pas plus que ne l'est le fait de se retrouver dans une relation avec un homme qui nous délaisse ou nous maltraite. Je ne veux pas dire par là que la souffrance ne soit pas réelle, mais elle ne fait en fait que dissimuler une autre souffrance plus profonde, plus ancienne. C'est celle-là, la véritable souffrance, la souffrance de la perte, de l'abandon, de la solitude, de la tristesse et de la peur. Et puis, il y a l'autre souffrance, celle que nous créons pour la masquer. Une souffrance en cache ainsi une autre. Guérir, c'est donc rouvrir la vieille blessure pour la laisser se cicatriser à l'air libre et au temps plutôt que de la laisser s'infecter sous les bandages de fortune que l'on y a appliqués.

La fonction même de l'obsession est de nous fournir un moyen de nous dissimuler la vérité. Vivre une véritable relation amoureuse demande de faire face et de lentement ôter tous les bandages que nous avons mis puis de permettre à l'autre de nous toucher enfin.

Depuis ma petite enfance, j'avais choisi de centrer ma vie sur la nourriture, sur ce que je pouvais et ne pouvais pas manger. J'étais prête à mourir pour une glace recouverte de chocolat chaud, et rien — je dis bien rien — ne me procurait plus de plaisir que la nourriture, jusqu'au jour où je me rendis finalement compte que je ne savais même pas vraiment apprécier ce que je mangeais. Je ne regardais même pas la nourriture, je ne prenais même pas le temps de la humer, de la

goûter, d'en apprécier la finesse. Elle n'était pour moi qu'un outil. Je ne mangeais que pour couvrir mon tumulte intérieur.

J'utilisais la nourriture comme j'utilisais les hommes. J'appelais ce qui touchait à la nourriture «boulimie» et ce qui touchait aux hommes «amour». J'utilisais les deux dans un seul et même but: refouler ma peur, ma honte d'être moi-même, mon désespoir de ne pas savoir vivre. Je me souciais peu de ce que je mangeais comme je me souciais peu des hommes avec lesquels je me retrouvais. J'aimais moins le chocolat pour son goût — après le premier morceau, je ne sentais plus rien — que pour l'état dans lequel il me mettait. De même, je choisissais mes relations moins en fonction de ce que l'homme avait à m'offrir que des vains efforts que je devrais déployer pour tenter de le séduire et de le garder. Mon véritable désir — tant avec ma boulimie qu'avec mes échecs amoureux — était de détruire tout ce qu'il y avait de bon en moi.

Il était fréquent, dans mes crises de boulimie, que j'aie peur — si je ne mangeais pas tout dans l'instant — que cette nourriture ne soit plus disponible la prochaine fois que j'en aurais besoin. Ce n'était pas tant le fait que cette part de gâteau ou de lasagne risquait réellement de disparaître, mais le fait que je risquais de rater une occasion, peut-être la dernière, de rassasier cette partie de moi qui était à jamais affamée, à jamais désespérée. Je n'en avais jamais assez. Même si mon corps était plein, je me sentais complètement vide et je croyais toujours qu'il suffirait d'une dernière tranche ou d'une dernière part pour me satisfaire.

J'appris à me débarrasser de mon obsession. Je mis de la nourriture dans des sacs en plastique: un gâteau dans l'un, un morceau de fromage dans l'autre. J'emportais ces sacs partout avec moi. Je me promenais toujours avec des poires séchées, des galettes de riz, des sandwiches au tofu, des bâtons de réglisse rouge. Je me répétais sans arrêt que, si j'avais faim, j'aurais de quoi manger et n'avais donc pas à tout dévorer dans l'instant. Cela marcha. L'assurance de ne manquer de rien —

même si je ne mangeais pas tout immédiatement — me permit de me sentir en sécurité. Je pus alors apprendre à manger quand j'avais faim et à m'arrêter quand j'étais rassasiée. Je perdis du poids. La nourriture n'est maintenant plus un problème, mais l'appétit est resté!

Chaque fois que Matt partait en voyage, il devenait ma dernière occasion, mon dernier espoir de trouver le bonheur. Dans ces moments, plus rien ne m'importait sinon l'empêcher de me quitter, tout comme il m'arrivait souvent de ne plus penser à rien d'autre qu'à me goinfrer. Matt devenait de la nourriture. Une dernière bouchée, une dernière cuillerée avant que j'en sois à jamais privée. Je voulais désespérément qu'il comble en moi ce vide qui ne se dévoilait que lorsqu'il devait partir en voyage. Avec lui, s'envolait tout espoir de voir ce vide comblé. Je le voulais tout entier, dans l'instant. Je ne pouvais tout de même pas le mettre dans un sac de plastique!

L'essence même du comportement obsessionnel est la croyance que la possibilité de nous retrouver — d'être enfin nous-mêmes — réside hors de nous. Si nous croyons que seul quelque chose — ou quelqu'un — peut remplir ce qui manque, alors il est normal que nous voulions que ce quelque chose ou ce quelqu'un soit toujours à notre portée.

Le comportement obsessionnel peut prendre pour objet n'importe quelle substance, personne ou activité. Nous nous enfermons dans un comportement qui devient notre mode de fonctionnement. La nourriture, l'alcool, les drogues, le travail ne sont que les formes qu'il prend pour se manifester. La caractéristique première est notre incapacité à nous rassasier, que ce soit de nourriture, de travail, d'amour, de succès ou d'argent.

Le plus pénible avec ce type de comportement est que, lorsqu'il disparaît, le manque, le vide qu'il dissimulait réapparaissent.

Je pensais — j'étais persuadée — qu'une histoire d'amour suffirait à faire mon bonheur. Je ne savais alors pas que la relation d'amour, de tendresse, de respect mutuel dont je rêvais menaçait mes derniers retranchements et que, une fois Matt rencontré, je n'aurais plus de rêve derrière lequel me cacher. Je devrais regarder en face toutes ces parties de moi éparses que je ne m'étais pas encore risquée à reconnaître.

Le maître zen Suzuki Roshi dit que rien ne se passe en dehors de nous. Vivre une histoire d'amour n'est pas chercher le bonheur dans la compagnie d'un autre être humain, c'est s'engager à garder le contact et à ne pas s'enfuir quand l'autre devient le miroir qui nous renvoie la dureté qui paralyse notre cœur.

Matt ne peut pas me guérir mais, si je suis prête à ne plus me réfugier au fond de moi-même, à ne plus me laisser aller à la boulimie, à ne pas rechercher un hypothétique homme idéal, à ne pas fuir dans le travail, je pourrai alors découvrir le fond de moi sous ma surface. Je serai alors guérie.

La question n'est pas, en effet, de savoir quand — et si — nous rencontrerons l'homme de notre vie, car cela ne changera rien pour nous, sauf que nous aurons rencontré l'homme de notre vie. Le véritable travail ne commence en fait que lorsque la passion des premiers instants s'est estompée. L'important n'est pas de savoir que nous avons enfin trouvé quelqu'un dans les bras de qui nous nous réveillerons le matin, quelqu'un qui nous accompagnera au cinéma, quelqu'un avec qui nous fêterons nos anniversaires ou irons rendre visite à nos parents, quelqu'un avec qui partager tous les moments de notre vie. L'important est de savoir ce que nous ferons dans les moments difficiles, de savoir si nous arriverons à avoir confiance en lui alors que nous n'avons même pas encore confiance en nous-mêmes, de savoir si nous pourrons vivre avec lui une histoire d'amour alors que nous avons si longtemps remplacé l'amour par la nourriture, de savoir enfin si nous serons capables de vivre avec lui l'intimité et ce que cette intimité avec une personne peut bien avoir à nous apprendre sur tous nos rapports avec les êtres vivants.

Si nous prenons le temps d'explorer en profondeur un domaine de notre vie, nous y trouverons les réponses à tous les problèmes. Ce que nous avons appris en nous libérant de la boulimie est tout ce nous avons besoin de savoir pour pouvoir créer l'intimité entre nous et un homme.

Il faut:

Nous engager sincèrement;

Dire la vérité;

Avoir confiance en nous;

Ne pas oublier que la souffrance, comme toute chose, a une fin;

Rire et pleurer sans retenue;

Faire preuve de patience;

Accepter d'être vulnérable;

Ne pas nous accrocher à ce qui nous fait souffrir mais nous en débarrasser;

Ne pas laisser la peur nous priver de faire des bonds dans l'inconnu ou de retourner dans le plus sombre de notre mémoire;

Ne jamais oublier que tout finit par être perdu, volé, cassé, usé et que chacune de nous vieillit, souffre et meurt;

Ne jamais regretter un acte inspiré par l'amour.

Les boulimiques qui arrivent à mes ateliers espèrent un miracle. Elles voudraient pouvoir, en un clin d'œil, devenir minces. Elles sont fatiguées de se battre avec leur obsession de la nourriture. Elles sont fatiguées d'avoir passé la plus grande partie de leur vie à s'occuper de leur poids, de ce qu'elles pouvaient ou ne pouvaient pas manger, de ce qu'elles venaient de manger et n'auraient pas dû manger. Elles veulent en finir. Elles veulent profiter de la vie. Je leur dis alors que pour cela il leur suffit simplement de suivre mon programme pendant un an. Elles me regardent alors toutes comme si j'avais perdu la tête. C'est à ce moment que je demande à celles qui ont suivi mon programme pendant un an de leur raconter ce que c'est de pouvoir manger quand on a faim et de ne plus utiliser la nourriture comme source d'amour, d'affection et de reconnaissance. Les nouvelles restent incrédules:

«Comment peut-on avoir le courage de suivre un tel programme? En quoi êtes-vous différentes des gens qui prennent du poids et qui, découragés, se rabattent sur un régime liquide?»

La différence est qu'elles se sont engagées envers le programme, envers elles-mêmes. Et elles ont respecté leur engagement. Elles ont cru en ce programme et s'y sont tenues. Elles ne se sont pas laissées arrêter par leur peur. Elles ont confiance en la meilleure part d'elles-mêmes.

La nuit dernière, j'ai rêvé d'un homme qui vivait dans l'Antarctique et y étudiait les autochtones. Il avait une longue barbe et des yeux marrons. Il me demanda le chemin de Cupertino et si on pouvait y aller à pied. Sa hutte était en érable, et des outils y étaient accrochés aux murs. Alors même que je vivais avec Matt, j'envisageais d'aller vivre avec lui. Il était si attirant. La vie serait dure, pensai-je: pas de toilettes, pas d'eau chaude. Il faudrait une fois de plus réinventer la roue. C'est alors que je me réveillai.

J'ai un ami qui, à quarante ans, ne s'est toujours pas marié parce qu'il ne veut épouser personne d'autre que Nastassia Kinski. Il habite Berkeley, est programmeur en informatique et ne voyage jamais. La nuit dernière, je rêvais d'aller vivre avec un aventurier. J'ai beau aimer Matt de tout mon cœur, il y une partie de moi qui refuse d'accepter que j'ai trouvé l'homme de ma vie et que je vais rester avec lui le restant de mes jours.

Lorsque les femmes viennent à mes ateliers, elles veulent se garder une porte de sortie. Elles ont toujours un régime au fond de leurs poches:

«D'accord, j'essaie votre programme pendant une semaine, un mois peut-être. Si cela ne marche pas — si j'ai trop mal, si je prends du poids ou si mes amies se moquent de moi —, je me rabattrai sur mon régime.»

Pendant les trois premiers jours de ma retraite de méditation, j'avais imaginé tous les moyens possibles de m'échapper: emprunter une voiture, prendre le bus, demander à un ami de venir me chercher, louer un hélicoptère. C'est alors que je compris qu'une seule chose serait pire que de rester: partir. Je ne pouvais pas me fuir.

Dans mes précédents livres, j'ai expliqué que l'on doit se traiter avec gentillesse, respect et compassion. Je pense toujours que ce sont là trois clés indispensables pour se libérer. J'en avais oublié une quatrième, indispensable pour permettre aux trois autres de fonctionner. Il s'agit de l'engagement. Il ne faut pas s'enfuir en cas de coup dur.

Nous ne serions pas boulimiques si nous avions su affronter les coups durs. Nous devons donc nous y entraîner. Nous devons apprendre à vivre. S'engager sincèrement dans une relation ou choisir de manger à sa faim sont une seule et même chose: choisir de vivre pleinement sa vie, s'engager à ne pas se renier ni pour un régime ni pour personne. Notre alimentation, notre travail, nos relations et notre vie spirituelle doivent être le véritable reflet de nos aspirations. Nous devons faire en sorte que notre vie puisse s'épanouir en prenant soin de ne pas nous laisser séduire par les pièges que sont l'argent, la renommée, la minceur, la séduction ou l'illusion qu'il est possible de vivre sans souffrir.

En remontant dans le temps et en faisant la liste de mes rencontres amoureuses avant Matt, on trouve: un homme qui ne m'aimait pas, un homme que je n'aimais pas, un homme marié, une femme mariée, un homme qui vivait à Londres, un homme qui me terrorisait, un homme qui vivait à Buffalo, un homme qui ne m'intéressait même pas, un homme qui allait mourir.

Ce qui n'était pas frénétique ou tumultueux n'était tout simplement pas de l'amour. Pour aimer, il me fallait souffrir. Pour aimer, il me fallait être prête à mourir.

Après presque trois ans de vie commune avec Matt, j'avouai à Sara que je ne savais toujours pas si Matt était l'être le plus superficiel et le plus refoulé que je connaisse ou bien l'être le plus patient et le plus attentionné qui ait jamais existé.

Ma vie avec lui est facile. Par «facile», je veux dire que je n'ai pas en permanence à me ronger les ongles, ni à prendre en charge sa santé mentale, ou à cuisiner des plats élaborés, ou à être plus ordonnée que de raison. Je n'ai pas non plus à me comporter comme Melanie dans *Autant en emporte le vent* ou à faire semblant d'être autre chose que ce que je suis: une femme complexe avec ses principes, son franc-parler et son humeur changeante.

Il m'aime. Même lorsque j'emporte pour nos déplacements en avion un sac plein de biscuits, de biscottes, de fruits séchés et de lait de soja — en plus de mon sac à main, de ma valise à roulettes et de nombreux sacs de plastique glanés dans les magasins. Même quand je le réveille au milieu de la nuit pour lui demander de me chanter une berceuse. Même quand il me faut trois jours pour prendre une décision et autant ensuite pour finalement en changer. Même quand je veux faire des hot dogs au tofu sur le gril et que, après avoir passé deux heures à allumer le feu, nous finissons par jeter les restes de tofu carbonisé sur le tas de compost.

Avec lui, je n'ai rien à craindre. Il ne me bat pas, ne change pas radicalement d'humeur d'un instant à l'autre, n'attend pas que je le materne, ne cherche pas à me pousser — directement ou indirectement — à ne m'occuper que de lui, et ne se laisse pas aller à être dépendant de moi. Surtout, quand je me sens tout à coup comme une enfant de trois ans, il ne me laisse pas tomber mais cherche au contraire à m'aider.

Je peux compter sur lui. Pour voir mes qualités et les encourager, mais aussi pour voir mes défauts et les accepter. Pour savoir rester indépendant et continuer à poursuivre ses rêves avec passion. Pour se réveiller en grognant, rire et pleurer avec moi et ne pas me laisser aller à retomber dans mes défauts. Surtout, quand je commence à déprimer, pour me rappeler quelle personne formidable je suis.

Avant toute chose, je peux compter sur lui pour me dire la vérité.

Aimer et être aimées nous apprend à vivre avec les gens. À vivre avec la vie. Choisir entre l'intimité et la distance — entre la vérité et le mensonge — est un choix que nous devons faire chaque jour, plusieurs fois par jour: à l'épicerie comme à la station-service, ou lorsque quelqu'un nous fait une queue de poisson sur l'autoroute, ou bien que nous rencontrons un sans-abri, mais aussi lorsque nous apprenons que des arbres tricentenaires sont arrachés et que nos petits-enfants ne verront peut-être jamais de forêt vierge.

La question fondamentale est de savoir si nous nous considérons comme quelqu'un capable de diriger son destin ou comme quelqu'un qui doit le subir et n'a aucun droit à la parole. C'est à nous de savoir si nous voulons nous respecter ou si nous préférons nous punir. Car l'amour — ou son absence — influence chacun de nos actes, de la manière dont nous choisissons les produits que nous achetons à celle dont nous jetons ensuite nos ordures — selon que nous considérons la Terre comme un être vivant ou comme une énorme poubelle. Tout ce que nous faisons de nous se reflète sur tout. Chaque fois que nous choisissons l'amour, le vrai, nous sommes en vie.

Lorsque nous avons remplacé l'amour par la boulimie, l'amour pour nous est devenu dur, sec et froid comme de la laque. L'amour était hors de nous et nous avons dû nous battre pour le reconquérir et le faire nôtre. Maintenant que pour nous l'amour est l'amour véritable, plus rien ne peut se dresser entre nous et notre cœur.

L'amour vit en nous, et c'est cela la véritable nourriture.

La collection PARCOURS

dirigée par Josette Ghedin Stanké se compose de livres qui nous changent parce qu'ils nous marquent.

MÉDECINES NOUVELLES

- **La guérison ou Quantum Healing**
  Dr Deepak Chopra
  Une œuvre inspirante qui replace la guérison aux confins de la science et de la conscience.

- **Laissez-moi devenir**
  Dr Gilles Racicot
  Une approche révolutionnaire : les racines du droit à vivre de l'enfant explorées dans le dialogue père-mère-fœtus dès le début de la gestation.

- **La ménopause**
  Guide pour les femmes et les hommes qui les aiment
  Dr Winnifred Berg Cutler
  Dr Calso-Ramón García
  Dr David A. Edwards
  Le livre le plus à jour sur cette étape dans la vie d'une femme.

- **Ostéoporose**
  Wendy Smith
  Comment la prévenir et la freiner.

- **Syndrome prémenstruel**
  Dr Michelle Harrison
  Un moment de déprime que l'on peut vaincre.

- **Image de soi et chirurgie esthétique**
  Dr Alphonse Roy
  Sophie-Laurence Lamontagne
  Un ouvrage critique et documenté à consulter avant de décider de se transformer.

VIVRE AUTREMENT

- **Vivre la santé**
    Dr Deepak Chopra
    Comment agit la pensée qui rend malade et comment elle guérit.

- **Vivre l'amour**
    Robert Steven Mandel
    La thérapie du cœur ouvert. L'apprentissage de l'amour pour soi et pour les autres.

- **Ces femmes qui aiment trop (tome 1)**
    Robin Norwood
    Aimer trop, c'est mal s'aimer. Une prise de conscience qui change notre existence.

- **Ces femmes qui aiment trop (tome 2)**
    Robin Norwood
    Comme un grand groupe de soutien pour appuyer notre changement.

- **Ces hommes qui ont peur d'aimer**
    Steven Carter
    Julia Sokol
    Comment ces partenaires des «femmes qui aiment trop» détruisent la relation par peur de s'y engager.

- **De l'amour-passion au plein amour**
    Jacques Cuerrier
    Serge Provost
    Il n'est pas plus passionnant d'aimer raisonnablement que raisonnable d'aimer passionnément. L'épanouissement est dans le plein amour.

- **Le père séparé**
    Lise Turgeon
    Réflexions sur l'ébranlement et la reconstruction du lien paternel à travers l'expérience de la séparation.

- **Traces de pères**
    Denise Neveu
    Voyage en solitaire de vingt fils et filles au pays de leur père réel.

- **La passion d'être père**
  Jean Chapleau
  Avec charme et simplicité, l'auteur évoque les enjeux
  de la paternité à l'heure où ce rôle défaillant blesse
  tant d'enfants.

- **La garde partagée**
  Claudette Guilmaine
  Un heureux compromis sur la continuité parentale à
  travers la séparation conjugale.

- **Si mes chats étaient contés...**
  Ina Makarewicz
  Des histoires vraies de vrais chats où, comme en un
  amour d'humain, se révèle l'intime de notre être.

- **Lorque manger remplace aimer**
  Geneen Roth
  Un essai-confession qui touche le cœur de la
  boulimie, où aucun régime n'a d'effet. Ce livre
  perspicace et sensible nous conduit avec maîtrise là
  où nous devons retourner pour désamorcer les
  drames qui nous ont fait grossir.

- **La nouvelle famille**
  Gerry Marino
  Francine Fortier
  Tout est inédit dans ce devenir de la famille. Les
  auteurs suivent avec maturité le couple, les ex et les
  enfants dans chaque tranche d'âge, en train
  d'élaborer en eux-mêmes et entre eux le subtil
  réarrangement de la recomposition familiale.

- **L'amour comme un travail**
  Nicole Coquatrix
  Analogie développée sur l'idée que la tâche d'aimer pourrait être
  aussi réussie que celle qui mène au succès de nos carrières.
  L'auteur anthropologue met à profit les moyens du succès au
  travail pour nourrir le projet de l'amour. Approche originale et
  captivante.

- **Petites annonces, grand amour**
  Paul Fournier
  Un essai-guide pour s'annoncer au plus près de sa vérité et ajuster
  son offre à la demande... pour pêcher l'être que l'on attendait. Une
  réflexion sur fond de grandes amours.

- **Je tuerais bien mon père... mais il n'est pas là.**
  John Lee
  Témoignage remuant d'un chef de file dans le mouvement des hommes. John Lee fait vivre le parcours bouleversant de ceux qui aspirent à leur pleine identité masculine.
  Un livre-phare sur la transformation actuelle des hommes.

MUTATION

- **Un dernier printemps**
  June Callwood
  Une expérience initiatique de soins palliatifs en privé d'une rare générosité.

- **Sida, un ultime défi à la société**
  Dr Elisabeth Kübler-Ross
  Le sida comme révélateur de solidarité humaine et sociale. Livre bouleversant et digne.

- **Le syndrome postréférendaire**
  Collectif
  Témoignages d'un non-dit au-delà des convictions. Se lit dans l'émotion et l'intelligence.

- **L'inceste dévoilé**
  Jocelyne Boulanger
  Ce que le silence a blessé, ce témoignage le remet en vie pour une guérison contagieuse.

- **L'amour ultime**
  Psychologie et tendresse dans la traversée du mourir
  Johanne de Montigny
  Marie de Hennezel
  Avec la collaboration de Lise Monette
  L'expérience des auteurs, puisée dans la pratique quotidienne de l'accompagnement des mourants, nous fait pénétrer l'importance du travail psychique en fin de vie.

ROMAN

- **... Et me voici toute nue devant vous.**
  Marie Dumais
  Premier roman de l'auteur et de la collection Parcours. Une belle écriture qui met le sexe à l'aise dans sa peau. Une peau de femme qui frissonne de plaisir et rejette les peurs qui feraient obstacle.